NOUS MENTONS TOUS

Du même auteur

Monsieur Isaac, en collaboration avec Gilles Racette, Éditions de l'Actuelle, 1973.

Cas suivi de **Trois**, Les Herbes Rouges, n° 20, 1974.

Le Texte justement, Les Herbes Rouges, n° 34, 1976.

L'Appareil, en collaboration avec Marcel Labine, Les Herbes Rouges, n° 38, 1976.

Les Grandes Familles, Les Herbes Rouges, n° 52, 1977.

La Belle Conduite, Les Herbes Rouges, n° 63, 1978.

Pourvu que ça ait mon nom, en collaboration avec Roger Des Roches, Éditions Les Herbes Rouges, 1979.

Dans la conversation et la diction des monstres, Les Herbes Rouges, n° 81, 1980.

Le Livre du devoir, Éditions Les Herbes Rouges, 1983.

Miser, Éditions de la Nouvelle Barre du Jour, 1984.

Straight Prose ou **La Mort de Socrate**, Éditions de la Nouvelle Barre du Jour, 1984.

Les Matières de ce siècle, en collaboration avec Marcel Labine, Les Herbes Rouges, n° 130, 1984.

Cold Cuts un/deux, Les Herbes Rouges, n° 136, 1985.

À propos du texte/textualisation, en collaboration avec Jean Yves Collette, Éditions de la Nouvelle Barre du Jour, 1985.

Lascaux, Éditions Les Herbes Rouges, 1985.

Quand on a une langue, on peut aller à Rome, en collaboration avec Louise Dupré, Éditions de la Nouvelle Barre du Jour, 1986.

Catégoriques un deux et trois, Écrits des Forges, 1986. (Traduction anglaise de Douglas Jones, Coach House Press, 1992.)

À double sens, échange sur quelques pratiques modernes, en collaboration avec Hugues Corriveau, Éditions Les Herbes Rouges, 1986.

Heureusement, ici il y a la guerre, Éditions Les Herbes Rouges, 1987.

Ce que disait Alice, Éditions L'Instant même, 1989.

Obscènes, Éditions Les Herbes Rouges, 1991.

Notte Oscura, en collaboration avec Alain Laframboise, Éditions du Noroît, 1993.

Normand de Bellefeuille

NOUS MENTONS TOUS

roman

ÉDITIONS QUÉBEC/AMÉRIQUE
329, RUE DE LA COMMUNE OUEST, 3E ÉTAGE, MONTRÉAL (QUÉBEC) H2Y 2E1 (514) 499-3000

Données de catalogage avant publication (Canada)

Bellefeuille, Normand de, 1949-
Nous mentons tous
ISBN 2-89037-917-5
I. Titre.
PS8553.E457N68 1997 C843'.54 C97-940948-9
PS9553.E457N68 1997
PQ3919.2.B44N68 1997

LE CONSEIL DES ARTS DU CANADA DEPUIS 1957 | THE CANADA COUNCIL FOR THE ARTS SINCE 1957

Les Éditions Québec/Amérique bénéficient du programme de subvention globale du Conseil des Arts du Canada.

Elles tiennent également à remercier la SODEC pour son appui financier.

L'auteur tient à remercier le Conseil des Arts du Canada et le Conseil des arts et de la culture du Québec pour l'aide qu'ils lui ont apportée.

Dépôt légal : 3e trimestre 1997
Bibliothèque nationale du Québec
Bibliothèque nationale du Canada

Mise en pages : Julie Dubuc

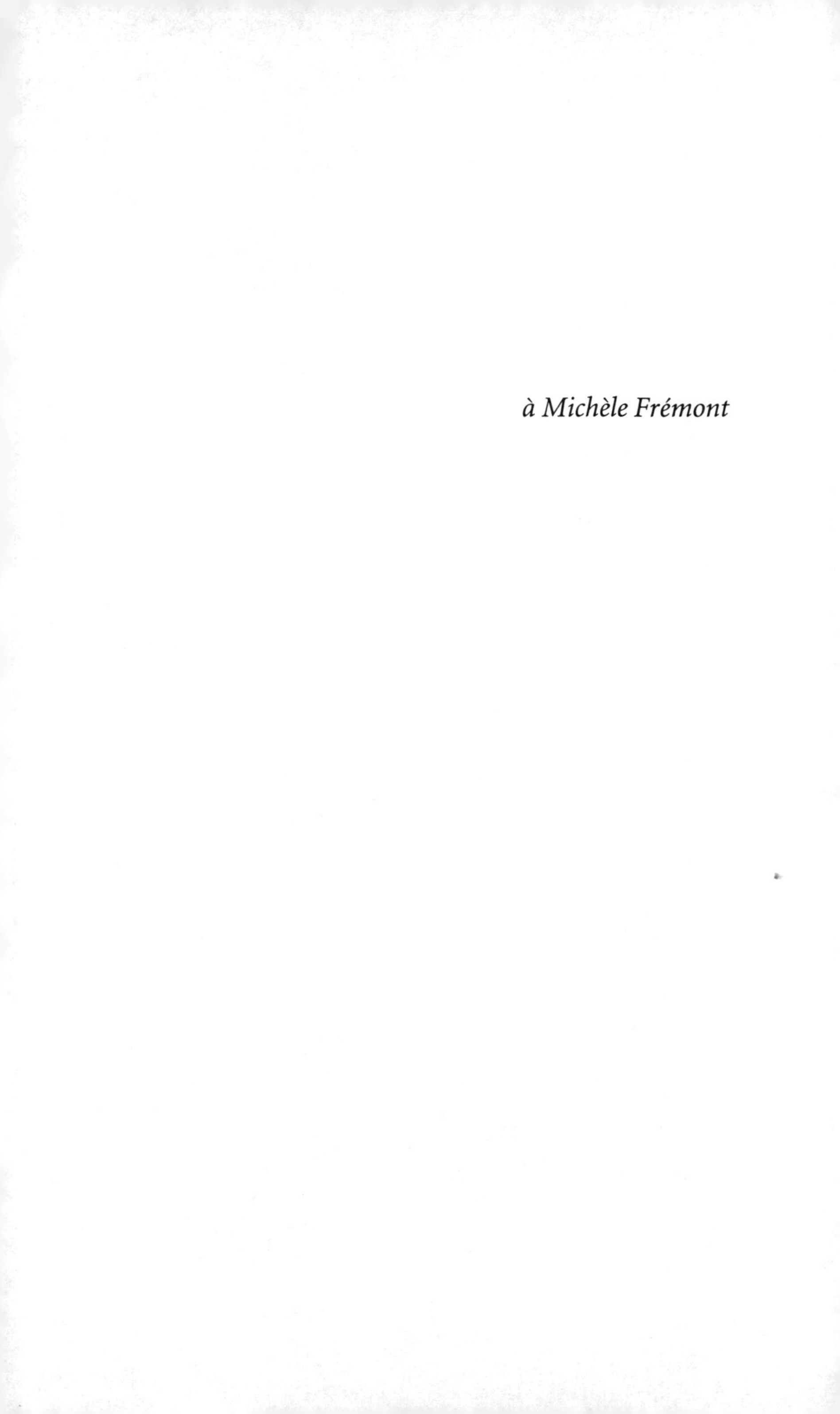

à Michèle Frémont

Il n'a jamais été question de dire la vérité
Paul Auster

Je tire le fil, mais le fil est le labyrinthe
Jacques Roubaud

Première partie

L'AMOUR EST UN TRÈS ANCIEN PROJET

CHAPITRE 1

Datée du quinze, la première lettre lui parvient le douze. Mais le douze du même mois. Raphaëlle lui mentirait-elle jusque-là ? Il y voit mal une simple distraction : Raphaëlle n'a toujours été que trop rarement distraite. Alors, doit-il croire à ce *Venise*, qu'elle a écrit à la hâte, plus haut, à droite encore ? Il préfère, pour sa part, l'imaginer à Rome ou à Florence, et alléger comme cela, en lui en supposant une deuxième, la première petite trahison de la date.

Et puis n'a-t-il pas l'habitude de vivre ainsi, comme s'il cherchait toujours à vérifier, à corriger quelque chose, comme s'il avait chaque fois le pouvoir de modifier ce qui ne lui convient pas tout à fait ? C'est elle d'ailleurs qui, à sa façon, le lui avait fait remarquer : *Tu agis comme un homme dont tous les amis seraient déjà morts et qui malgré tout, chaque jour, essaierait de changer le passé.* Tous ses amis étaient pourtant bien vivants, mais elle, elle était partie. Sans aucune explication, l'abandonnant avec tous les scénarios du monde.

Il ne peut donc rien lire de cette lettre du quinze sans douter, sans douter de la date, de la ville, de tout ce qu'elle y raconte, non plus que sans avoir le goût de tout réinventer, à sa façon à lui cette fois. Il en parcourt d'abord les pages rapidement, ne retient que quelques phrases, parmi les plus banales, sur les masques, à Venise, et sur la mauvaise qualité des miroirs, à Venise, mais aussi un aveu sur l'incompétence de certains mots dans de telles circonstances, puis, vers la fin, ceci : *C'est moi qui suis partie, mais tu resteras toujours le véritable déserteur.* Il se dit, avec cette violence passive qu'elle n'a jamais cessé de lui reprocher, que cela lui ressemble plutôt à lui de poser ainsi les problèmes affectifs en termes d'équité. Il croit également qu'aujourd'hui encore, le quotidien lui sera une défaite, quelque chose qu'il devrait revoir, corriger à coup sûr.

Il compte tout de même les pas qu'il lui faut pour se rendre à la bibliothèque. Sept cent vingt-quatre pour arriver jusqu'à la dernière marche. Il en aurait voulu un peu plus de huit cents pour que la journée ne soit pas à ce point ratée : une défaite, assurément. Ensuite, il pousse la lourde porte comme s'il résistait lui-même à des forces contraires, repense à la lettre de Raphaëlle, inutile, qu'il a glissée pourtant dans sa poche. *Venise, le 15...* Et le douze, le douze du même mois, presque trop subitement, la porte lui cède.

✦

— Qu'est-ce que tu lis ?

— *Les Métamorphoses.*

— Kafka... ?

— Non, Ovide.

— Ovide ?

— Pas *La Métamorphose*: *Les Métamorphoses.*

— Connais pas.

— *Ovide, poète latin, époque de Jésus-Christ.* Les bonnes sœurs ne vous ont pas fait lire ça ? Voyons : *Ovide, poète à tendance élégiaque...* Non ?... quelle pitié, quand même ! Un peu trop érotique pour Villa-Maria sans doute. Je vois assez mal sœur Marie-Fortunat – c'est bien comme ça qu'elle s'appelait, non ? – vous enseigner les subtilités érotico-rhétoriques des *Métamorphoses...*

Raphaëlle détestait qu'il lui parle *comme un livre*, croyant qu'il ne s'agissait là que d'une autre façon de lui rappeler qu'elle en lisait trop peu.

— On se rencontre pour dîner ?

— Impossible, je mange avec Dionysos.

— Dionysos... ?

— Oui, avec un seul i grec. C'est un personnage des *Métamorphoses.* Et puis, lui aussi il se transforme, mais jamais en cafard.

✦

Il a la mémoire des dates, a toujours eu la mémoire des dates, se souvient parfaitement bien de celle de leur premier repas – chez un Chinois, gras et bruyant –, de celle de leur premier film – une coiffeuse et son mari –, de celle de la première baise et plus encore de celle de la dernière. Il a la mémoire des dates et la conscience du temps, sait toujours l'heure qu'il est sans avoir à vérifier, n'est jamais en retard. À peine s'il se trompe parfois dans son évaluation du nombre d'enjambées qui le séparent de l'endroit où il se rend.

Il compte parce qu'il croit que cela le protège, parce qu'il croit que cela atténue le hasard et l'aléatoire qui n'en finissent plus de régler l'existence. Il compte pour retrouver une mesure exacte dans l'organisation du monde. Il n'arrive pas à croire que l'univers ne porte pas au moins cette justice-là.

— Décidément, tu es l'homme de l'ordre.

— Mais non, c'est rien qu'une espèce de compromis, une vieille complicité avec mon comptable de père ! Oublie pas qu'il voulait que je devienne homme d'affaires et que je suis allé en lettres. Alors je lui ai promis, pour compenser, d'être aussi comptable... à ma façon...

Mais il croit tout de même que c'est comme cela que la vie devrait être, précise, et cela n'a rien à voir avec un quelconque souci de vérité. Il se méfie au contraire des gens qui parlent toujours de la vérité. Ils mentent généralement si mal que, même quand ils disent vrai, on pourrait croire qu'ils cachent encore quelque chose. Quant à lui, il voudrait que ses mensonges soient parfois assez beaux pour être vrais, moins pour qu'ils y croient que pour qu'ils souhaitent à tout prix y croire, parce qu'ils simplifieraient l'univers des choses. Raphaëlle disait qu'il était l'homme de l'ordre. Il s'imagine plutôt, et de plus en plus, comme l'homme des métamorphoses.

Il ne sait pas exactement ce qui l'incite à venir dans *cette* bibliothèque consulter *cette* édition du texte d'Ovide. Les illustrations de Picasso, les feuillets détachés ou le tissu bleu du coffret ? Bien qu'il y déserte moins qu'il ne s'y cache, depuis trois mois, tous les jours d'ouverture de la bibliothèque, il traverse le parc qui l'en sépare. Depuis trois mois, le nombre des pas a sans cesse varié, il n'est pas une seule fois arrivé à reproduire les huit cent trois enjambées du huit juin – il y avait pénétré, il s'en souvient très bien, à treize heures quatre.

Il est vrai que, dans cet exercice du moins, jamais il ne triche, qu'il s'acharne à garder le même pas, scrupuleusement, sans chercher à ajuster son enjambée en fonction de la distance qui l'éloigne du but. Aussi, le plus souvent, devine-t-il dès la moitié du trajet qu'il a fait le mauvais choix, que sa cadence, à nouveau, n'est pas exactement la bonne, trop longue ou trop courte. Il n'y a plus qu'à attendre le jour suivant. Du moins lui reste-t-il le livre, les illustrations de Picasso, les feuillets détachés et le tissu bleu du coffret.

La qualité de la traduction, les nuances, la fidélité au texte original somme toute ne lui importent pas. Il n'y a d'ailleurs que très peu de variantes entre cette version-là et l'édition de poche qu'il a, chez lui, déjà lue, relue et généreusement annotée. Maintenant, il ne reprend la lecture que pour l'histoire, les personnages, les événements. Se les mettre parfaitement en tête, qu'ils deviennent à ce point familiers qu'il en arrive même à les confondre avec la petite mythologie des femmes aimées, que les prénoms s'y retournent et que les drames s'échangent jusqu'aux plus intimes détails. Trop souvent, les livres ne lui ont été que de pauvres choses ; celui-ci pourrait être le bonheur même, la passion même, la mort même.

Il y a bien sûr aussi ce travail que Patrice lui a proposé, réaliser la bande-annonce du film et collaborer au montage final, mais tout cela n'a qu'une importance bien secondaire. D'ailleurs, le film va-t-il seulement se faire ? Il voit assez mal comment Patrice arrivera à intéresser quelqu'un à une adaptation québécoise des *Métamorphoses* d'Ovide...

✦

— Ce serait une transposition bien sûr. On ne garde que l'esprit, l'idée générale, la structure. Pas question de déguiser Jean-Pierre et de l'appeler Dionysos !

— Jean-Pierre, dans le rôle de... Dionysos... ?

— Tout à fait : il sera étonnant, il a parfaitement saisi le personnage, tu verras !

— J'espère au moins que tu penses pas à Béatrice pour le rôle d'Eurydice ?

— Je t'avoue que j'y avais songé, mais j'ai bien peur que, même s'il s'agissait du rôle de sa carrière, jamais Béatrice n'accepterait de jouer celle qui est enlevée pour être traînée sous terre !

✦

Trois mois qu'il s'y acharne. Le même livre depuis trois mois, avec ordre et rigueur, mais aussi avec cette tranquille joie de se laisser, chaque fois, séduire. Que Raphaëlle, il y a maintenant plus d'un mois, le quittant, ait fait quelque chose de terrible à sa vie, n'y a presque rien changé. Il s'agit de *son* livre et là, du moins, il ne saurait se tromper de bonheur. Si le livre n'atténue en rien la catastrophe de son départ, ce départ n'arrive pas à compliquer le livre, ni toute la lumière du livre.

Il quitte la bibliothèque vers la fin de l'après-midi, choisit toujours au retour le même trajet; mais jamais alors il ne s'adonne à sa petite comptabilité des pas.

✦

— Ça ne donne rien, absolument rien de compter ses pas en revenant, voyons, ça me semble évident. Compter en revenant... quelle drôle d'idée!

Raphaëlle n'avait pas très bien compris ce qu'il y avait là de l'ordre de l'évidence, n'avait pas insisté, s'en était même voulu un peu de l'avoir questionné sur ce rituel somme toute bien intime. Elle avait d'ailleurs depuis peu remarqué, lorsqu'elle l'accompagnait, qu'il lui arrivait alors, au retour, de compter parfois à sa place.

Un autre jour, semblable à celui-là, elle se rendit compte qu'elle ne pouvait plus, à son tour, s'empêcher de compter et elle avait décidé de le quitter. Il n'aime pas beaucoup les explications, elle ne lui en donna donc pas.

Sans doute croit-il qu'il vaut mieux comprendre le comment des choses qui commencent plutôt que le pourquoi de celles qui se terminent.

✦

Le soir du douze, il relit tout de même attentivement cette lettre mystérieusement adressée de Venise, le quinze du même mois. Il ne sait trop ce qu'il espère y découvrir, si ce n'est quelques indices qui arriveraient à donner un visage à sa propre folie des derniers mois. Il se peut bien qu'elle cherche simplement à lui raconter une histoire. Il aime les histoires. Il s'en raconte tant chaque jour. Elle n'est pas sans savoir qu'il aura à coup sûr remarqué cette fausse date et se sera aussitôt inquiété de la véritable provenance de l'envoi. Peut-être même n'est-ce pas tout à fait par hasard si le cachet de la poste est à ce point illisible. Il replie minutieusement les quatre pages de la lettre, les replace dans leur mince enveloppe qu'il dépose dans une chemise cartonnée d'un vert plutôt douteux. Avec un crayon feutre – trop gras, et trop noir –, il y écrit, à la hâte, comme s'il craignait tout à coup de changer d'idée : *Histoire de R.*

Puis il repousse le tout vers le coin sud-ouest de sa table de travail, l'y glisse exactement sous l'édition de poche lue, relue et si généreusement annotée des *Métamorphoses* d'Ovide... poète latin, période de Jésus-Christ...

✦

Qui donc a bien pu mourir?

Combien de noms défileront dans sa mémoire de moins en moins ensommeillée avant qu'il n'ait la force ou la témérité de décrocher le récepteur? Pourquoi donc l'appel qui nous réveille ne peut-il nous apparaître autrement que comme la promesse du pire désastre? Comme s'il n'y avait que la mort pour nous tirer d'un sommeil qui ne s'évertue pourtant qu'à en mimer les plus agréables conditions : le repos, l'oubli, l'intensité du repos et de l'oubli.

— Tu n'oublies pas notre rendez-vous?

Il sourit en pensant que la mort, cette fois, n'était qu'un rendez-vous.

✦

Chaque fois qu'il a l'occasion de regarder Patrice attentivement, celui-ci lui donne la rare impression d'être quelqu'un à qui il ne serait jamais arrivé de détester son propre corps. Il s'agit moins de suffisance ou même de narcissisme que d'une calme certitude qui ne tient ni au charme ni à la beauté, plutôt à une forme de patience têtue qui l'aurait finalement convaincu qu'en aucune circonstance, en ce qui le concerne, il ne saurait un jour ne rester de son corps que la viande.

Il n'est donc pas beau, il a quelque chose de plus, une inconsciente conviction. Et cela le trahit jusque dans sa façon de manger. Il mange sans embarras ni arrière-pensée. Il parle en mangeant, mais jamais on n'oserait considérer qu'il parle la bouche pleine. Il mange et il parle, simplement. De même il doit faire l'amour, sans jamais se lasser, non plus que sans vraiment regretter d'avoir à s'interrompre.

— Ça y est, ils ont presque accepté le projet !

— Et ils s'attendent à quoi précisément ? À une comédie musicale nationalo-misérabiliste ?

— Pour l'instant, c'est l'idée de départ qui leur plaît. Ils trouvent ça original de vouloir s'inspirer des *Métamorphoses*. Pour ce qui est de la forme définitive, faudra attendre la première version du scénario. Marie y travaille depuis plusieurs mois déjà.

— Est-ce qu'elle est consciente que la presque totalité des gens qui verront le film n'auront absolument aucune idée de ce que c'est, *Les Métamorphoses* ? Pour ce qui est d'Ovide, vaudrait mieux pas trop insister, ils s'attendraient à du Roger Lemelin, quelque chose comme *La Vengeance posthume de Rita Toulouse.*

— Marie sait parfaitement ce qu'elle fait. Elle travaille surtout autour de quelques personnages mythologiques et de l'idée même de la métamorphose, du retournement, de l'imprévisibilité dans les comportements. Tu sais aussi bien que moi de quoi ça parle, non ?

— Et la passion ?

— La passion aussi... Bien sûr, la passion !

Bien sûr, la passion. Il comprend assez mal ce qu'il peut bien y avoir de sûr là-dedans. N'est-ce pas au contraire les travers de la passion et ses écueils que raconte déjà Ovide, *poète latin... époque du Christ ?*

Il se rappelle encore une fois que c'est dans le cours de version latine qu'il a connu Patrice, il y a plus de trente ans : la même innocente assurance, un corps qui, bien que maigre et touchant dans ses incohérences, n'aurait pas eu véritablement d'adolescence. Trente ans, mais déjà *Les Métamorphoses* d'Ovide. Et le souvenir du vieux Gignac dans sa très douteuse traduction de certains passages racontant l'enlèvement d'Eurydice :

— *Et alors elle mit sa main nue sur sa poitrine...*

Il se souvient aussi que le bon professeur ne s'était pas laissé convaincre par leurs objections amusées qui, tant sur le plan syntaxique (la position de l'épithète) que sur un plan plus banalement logique (une main nue ?), plaidaient plutôt en faveur de la nudité de la poitrine que de celle de la main. Le sens moral du vieux Gignac n'allait pas si facilement s'en laisser imposer :

— Messieurs, rien, absolument rien dans ce texte ne nous interdit de penser qu'en temps normal, Mademoiselle Eurydice avait l'habitude de porter des gants !

Il imagine Béatrice dans la scène de l'enlèvement – la main ou la poitrine nue ? Décidément, il faudrait qu'il en reparle à Patrice... ou à Béatrice... L'idée, après tout, n'est peut-être pas si mauvaise.

✦

La seconde lettre de Raphaëlle arrive le quatorze. Datée du sept, elle est également adressée de Venise. Il remarque tout de suite qu'il n'y a pas de nom de destinataire. Puis aussitôt, dès les toutes premières lignes, qu'elle ne lui était manifestement pas destinée. Il n'arrive toujours pas à croire à une simple erreur : cela ne ressemblerait pas à Raphaëlle de confondre deux destinataires.

Il lit attentivement, sans pour l'instant chercher d'explication. Il croit pourtant très vite à ce personnage qu'elle y interpelle : un homme qu'elle aurait aussi quitté. Sans nom. Un photographe. Alors que lui-même déteste la photographie. Elle y parle surtout d'un livre, comprenant plusieurs photographies italiennes, dont cet homme aurait voulu qu'elle écrive le texte d'accompagnement. Elle en révèle même le titre, *Notte Oscura.*

Si le photographe existe vraiment, qu'est-ce qu'il aura à son tour appris, recevant peut-être une autre lettre qui ne lui était pas non plus destinée ? Ou s'agit-il là d'un simple jeu, un peu cruel ? Il n'ose penser à une vengeance, elle n'en a jamais eu ni le talent ni la ricanante perversité. Alors pourquoi donc insiste-t-elle tant sur l'une de ces photographies où l'on distinguerait, plutôt mal croit-elle se rappeler, deux poignets attachés ? Il semble même, à la description qu'elle en donne, que l'on y reconnaisse beaucoup plus facilement la corde – et jusqu'au détail de son tressage – que les avant-bras dont on n'arrive pas à savoir s'ils sont vus de face, derrière le dos, ou alors tendus au-dessus de la tête. Les poings, c'est certain, sont fermés... et nus.

C'est cette image, pour une raison qu'elle ne précise pas, qui lui aurait fait abandonner le projet de leur collaboration. Elle n'allait pas écrire ce texte qui accompagnerait les photos. Il devine pourtant un certain plaisir, une forme de complaisance même dans sa description détaillée de cette étrange photographie. Il a oublié tout à coup que cela ne le concernait pas, ne lui était pas vraiment destiné, mais sa subite érection lui rappelle que c'est elle, à Venise, le sept, qui l'oblige à l'indiscrétion, qui le force au plaisir, lui qui depuis toujours déteste la photographie, croyant qu'il ne s'agit là, chaque fois, que d'une autre façon de compliquer l'univers.

Doit-il placer cette lettre avant l'autre, faussement datée du quinze ? Mais qu'est-ce qui l'assure que celle du sept a véritablement été écrite ce jour-là, d'autant plus que c'est à quelqu'un d'autre qu'elle s'y adresse ? Il la glisse cependant dans la même chemise verdâtre, un peu triste à l'idée que cet étranger, photographe peut-être imaginaire, se soit déjà chargé de donner un titre à l'*Histoire de R.*. Mais *Notte Oscura*, c'est quand même plutôt joli.

✦

Huit cent neuf pas. Et sans trop y penser cette fois, tant la seconde lettre l'obsède. La lettre ou la photographie représentant les deux mains? À six enjambées près de l'exploit. Six petites enjambées de trop. Sa plus belle performance des trois derniers mois.

Il n'a même plus maintenant à remplir la petite fiche que déjà la bibliothécaire lui tend le coffret recouvert de tissu bleu. Il sourit, regardant ces deux mains frêles qui soulèvent, difficilement dirait-on, l'objet; elle croit à un signe de reconnaissance, sourit à son tour. Comment pourrait-elle deviner qu'il se plaît, lui fixant les deux poignets, à imaginer la corde et le tressage de la corde, la position des avant-bras, de face, derrière le dos ou exagérément tendus au-dessus de la tête? Comment oserait-elle penser qu'il en est, lui fixant les poignets, à imaginer le pire?

Il choisit toujours la même table, dans la troisième alcôve de gauche; une table qu'il n'aura pas à partager tant les feuillets du livre dans un instant en encombreront toute la surface. Livre onzième. *La Mort d'Orphée.* Marie a-t-elle choisi le personnage d'Orphée comme l'un de ses modèles? Et alors, à qui donc Patrice a-t-il bien pu penser pour le rôle? Il se rend compte tout à coup que, depuis le départ de Raphaëlle, son intérêt pour le texte d'Ovide a été détourné vers ce projet de film qu'il n'arrive pourtant toujours pas à prendre au sérieux. Mais il ne peut plus lire sans en voir des images, sans s'en figurer les diverses transpositions, sans déjà penser à la bande-annonce qu'il aura à composer. Et le titre? Patrice a-t-il eu une autre idée pour le titre? Patrice qui, décidément, n'a jamais eu l'art des titres.

✦

— Qu'est-ce que tu dirais de quelque chose comme *Histoire de métamorphoses*?

— Gros vendeur, Patrice, gros vendeur, c'est certain... *Histoire de métamorphoses*... Tiens, je vois déjà les foules accourir. Et pourquoi pas *Notte Oscura* tant qu'à y être?

— *Not a*... quoi...?

— C'est de l'italien, pas de l'anglais, laisse tomber. Mais demande donc à Marie de penser aussi à un titre.

— Dis donc, est-ce que t'as eu des nouvelles de Raphaëlle?

— Oui, de Venise. Enfin, admettons qu'elle m'ait écrit de Venise. Mais cela pourrait tout aussi bien être de Rome ou de Florence.

— Et elle fait quoi au juste?

— Elle ment, j'*imagine* qu'elle ment, surtout. En tout cas, il semble bien que, dans son esprit, je sois devenu un photographe de grand talent...

— Qu'est-ce que tu racontes? T'as toujours détesté la photographie.

— J'ai peut-être eu tort. Il en existe sans doute certaines qui compliquent moins les choses que d'autres.

✦

Plus que jamais, il croit qu'ils étaient peut-être moins en amour que *dans* l'amour, comme on dit *dans la vie*, dans ce lieu trop fragile du monde où l'on passe tout son temps à se défaire l'un l'autre pour aussitôt se refaire, différents et si semblables, croyant ainsi à quelque chose qu'on voudrait bien nommer *les vertus de la passion*, mais qui, un jour, s'avère n'avoir été que l'une des innombrables figures de la répétition, la plus détestable sans doute, méconnaissable tant elle est changeante, et pourtant si familière à force d'ainsi toujours nous rompre.

Il en vient même à accepter qu'il y ait eu quelqu'un d'autre qui, lui, aimait la photographier, qui, lui, ne croyait pas que cela ne faisait qu'ajouter du corps au corps, rendant tout bien encombrant à la fin. Il consent aux images de l'autre jusqu'à regretter de n'avoir jamais vu les trente-neuf photographies italiennes. Il croit qu'il aurait su à l'instant, sans avoir à trop y regarder, s'il s'agissait bien, de face, de dos ou, alors, tendus au-dessus de la tête, de ses poignets à elle. Il en vient même à le souhaiter comme s'il s'agissait là d'une façon bien plus perverse de la perdre davantage. Car si l'autre existe vraiment, ne les a-t-elle pas quittés tous les deux ? Et s'ils sont à ce point différents qu'il se plaît à l'imaginer, alors il préfère croire que, d'une certaine façon, son départ ne les concerne que très peu, que c'est elle alors qui est partie, bien plus qu'elle ne les a abandonnés.

Il sourit de ses propres conclusions, sourit même de la lâcheté qu'elles supposent. Tout compte fait, n'avait-elle pas raison ? Ne déserte-t-il pas jusque dans ses raisonnements les plus douloureux ? Et cette façon qu'il a toujours eue d'argumenter logiquement à propos des questions les plus émotives. Il se souvient à quel point cela la laissait démunie, accablée, ne sachant plus toujours très bien ce qui avait pu les mener là, aux confins de la raison et de l'affection, étourdis, battus même.

✦

— Je crois que si tu écrivais, il y a des jours où tu arriverais même à écrire un livre contre nous.

✦

Il rencontre Béatrice à cinq heures, comme ils en avaient convenu, sur la terrasse en face de la bibliothèque. Il ne la reconnaît pas tout de suite, ce qui l'étonne, car il la connaît depuis l'enfance. Patrice, Béatrice, Jean-Pierre, et tous les autres qu'il continue de voir. Il se demande parfois s'il n'y a pas quelque chose d'un peu infantile dans cet attachement aux vieux amis et à une époque depuis longtemps révolue, il se dit que cela explique sans doute pourquoi il n'arrive pas toujours à prendre véritablement au sérieux les projets qui les réunissent. Comme s'il ne s'agissait encore que de simples jeux destinés à occuper quelques après-midi trop chauds sur l'asphalte de la ruelle Des Érables. Il en arrive à peine à se convaincre que Patrice est un *vrai* réalisateur, Béatrice une *authentique* comédienne – les gens de la table voisine ne l'ont-ils pas pourtant tout de suite reconnue ? Il n'y a que lui, somme toute, qui soit demeuré un tout petit bricoleur : concepteur de bandes-annonces, monteur, accessoiriste à ses heures. L'homme des petits bouts, l'homme des petites choses changeantes.

— Un bloody mary s'il vous plaît, très épicé.

— Un bloody mary ? Avant le tennis ?

Il avait oublié le tennis. N'en dit rien, se rend compte tout à coup que, s'il n'a pas aussitôt reconnu Béatrice, c'est précisément à cause de tout ce blanc qu'elle porte et qui la change tant des teintes généralement plus sombres qu'elle arbore depuis des années. Il trouve que cela la *retourne*, c'est même exactement la façon dont il formule en silence son étonnement : *ça la retourne, tout ce blanc la retourne.* Il hésite mais décide finalement de ne pas ajouter, même si ce n'est que pour lui seul : *comme un gant.* Eurydice encore. Décidément, Béatrice n'y échappe pas. La main ou la poitrine ?

— Je ne t'ai jamais parlé du miraculeux effet du bloody mary bien relevé sur la puissance rotative de la balle brossée par un revers à deux mains ? Alors, Béatrice, sois reconnaissante et, surtout, très très discrète, parce que je n'en ai jamais parlé à personne... Becker, tu connais ?... Voilà, cherche pas plus loin...

— Mais Becker... il ne gagne plus...

— Justement, t'as tout compris : il a arrêté de boire, il lit la Bible maintenant. Très mauvais la Bible pour la volée du coup droit ; et pour le service donc !

Elle rit. Plus de trente ans qu'elle rit avec lui. Trop fort. Les voisins se retournent, croient sans doute qu'il s'agit là d'une manière peu subtile d'attirer l'attention sur sa personne, de jouer à la vedette. Elle qui ne joue pas, même dans ses rôles les plus excentriques. Elle qui est bien en deçà du jeu, qui, même enfant, ne trouvait aucun intérêt à tous ces simulacres de la vie adulte dont les autres raffolaient, qui ne comprenait absolument pas ce qu'il pouvait bien y avoir d'excitant dans le fait de s'imaginer tantôt mère, tantôt infirmière ou prisonnière des Apaches du Plateau- Mont-Royal. Tout cela ne la concernait pas. Elle était cependant devenue comédienne et trouvait que c'était là la chose la plus normale du monde !

— Mais un seul bloody mary, par exemple. Ah oui, sinon le second gâcherait tout. Surtout le retour de service, oui, désastreux, le deuxième bloody mary sur le pourcentage d'efficacité du retour de service !

✦

Après le tennis, c'est lui qui propose *un sandwich vite fait chez moi*, mais c'est elle qui demande à prendre *une petite douche rapide.* Étrangement, elle ne paraît pas trop surprise quand il l'y rejoint, blaguant :

— Pas de panique ! C'est pas Norman Bates.

Elle sourit sans aucune timidité, lui présentant même, presque d'un même élan, le savon et son dos qu'il savonne aussitôt généreusement, laissant ensuite ses mains se glisser sous les aisselles, le bout de ses doigts touchant à peine la naissance des seins. Les bras de Béatrice s'éloignent un peu du corps, l'incitant à plus d'audace, et ses mains ne tardent plus à effleurer les mamelons dont le durcissement immédiat lui paraît le plus éloquent des consentements. Son bras gauche encercle tout à fait sa poitrine alors que la main droite se glisse vers le bas du dos, puis jusqu'à la raie que deux doigts forcent jusqu'à ce qu'elle s'offre plus généreusement, appuyant l'un de ses pieds sur le bord de la baignoire, saisissant des deux mains la tringle de métal. L'index et le majeur trouvent très rapidement le sexe qu'ils pénètrent avec une certaine lenteur, tandis que le pouce s'enfonce plus difficilement dans l'anus. Voilà qu'il la tient toute, remuant à peine la main, si ce n'est ce léger frottement comme s'il espérait que les trois doigts se rejoignent dans ce lieu inconnu et secret de son corps. Elle murmure quelques mots, mais le jet de la douche rend tout cela indistinct et plus provocant.

Il remarque alors le peignoir qu'il lui avait laissé sur la tringle. Il remarque le peignoir et le cordon du peignoir qu'il n'a qu'à tirer pour qu'il quitte ses ganses. Elle a gémi lorsqu'il a retiré sa main d'elle. Elle tourne maintenant la tête vers lui, étonnée qu'il s'affaire à lui nouer le cordon autour des poignets puis, lâchement, après la barre de métal.

Cela pourrait n'être qu'un jeu, mais ils sentent l'un et l'autre que rarement l'amour n'aura été aussi sérieux. Elle ploie légèrement les genoux et cambre les reins joliment lorsque, les deux mains à l'intérieur de ses cuisses, il lui écarte les jambes davantage. Il entre en elle facilement, laisse deux doigts lui baguer le clitoris. Elle tente de tourner la tête vers lui, mais il préfère qu'elle ne le voie pas et maintient solidement son front contre sa mâchoire. Il la prend de plus en plus profondément, plus rapidement aussi et, à chaque poussée, ce corps se soulève dans un petit cri.

Il regarde ses mains attachées, remonte l'une des siennes jusqu'à ses seins qu'il saisit fermement, de l'autre prend son propre sexe qu'il retire du vagin et pose contre l'anus, n'appuyant que très doucement, patientant, jusqu'à ce qu'elle acquiesce, se pressant avec une certaine fougue contre son érection. Alors il l'encule et au même moment il pense, sans bien savoir pourquoi, *longuement, longuement.* N'a-t-il pas toujours eu, même aux moments les plus inappropriés, la passion des adverbes ? Elle gémit tout à fait, il ne remarque pas que c'est au neuvième coup qu'elle jouit vraiment, il ne compte pas dans ces moments-là, mais il aime éjaculer au même instant. Puis il glisse sa bouche contre son oreille et, le souffle toujours un peu court, lui murmure :

— Je t'enlève, Eurydice ?

Elle le regarde alors avec un sourire qu'il qualifiera plus tard, pour lui seul, de *ravageant.*

✦

Béatrice le laisse sans gêne, l'embrasse même sur ses *trois petites joues*, comme elle le fait chaque fois qu'ils se quittent. Mais lui demeure sur le seuil bien après son départ. Il aimerait qu'elle se retourne, ne serait-ce que pour lui faire ce petit signe de la main qui est si bien décrit dans *L'Immortalité* de Kundera. Il doit savoir pourtant que Béatrice ne se retourne jamais. Et si le rôle d'Orphée lui convenait mieux que celui d'Eurydice ? Un rôle d'homme pour Béatrice ? Qu'est-ce qu'en penserait Patrice ?

Les Métamorphoses, Livre onzième : *La Mort d'Orphée*. Orphée tué par des femmes, mis en pièces d'en avoir trop aimé une. L'homme qui n'échappe pas aux femmes. Et puis toutes ces femmes des *Métamorphoses :* Daphné transformée en laurier pour se défaire de Phébus, Io que Jupiter tourne en génisse pour que sa propre infidélité ne soit pas connue de Junon, son épouse, Syrinx qui devient roseau pour décourager les ardeurs de Pan. Tant de femmes travesties, retournées pour, à leur tour, échapper aux hommes. Bref, *quand ça se met à mal aller*, comme aime sentencieusement à le déclarer Patrice...

Il se demande s'il lui est arrivé une seule fois de penser au corps de Béatrice au cours de toutes ces années. Est-ce qu'il a finalement suffi de tout ce blanc pour le lui offrir ?

Il relit la lettre du sept : *Une seule photographie par jour, disais-tu, car aucun endroit au monde n'en mérite davantage, mais ne pas prendre la bonne risquerait de compliquer l'univers.*

Sans doute avait-elle détesté cette phrase, et pourtant, il sait maintenant que la bande-annonce du film devra être constituée d'images fixes et que la trame sonore laissera entendre le mécanisme du projecteur se déclenchant à chaque changement de plan. Des gros plans, surtout des gros plans. Et peu de musique, très peu de musique. Quelques extraits du dialogue. Et les images se succédant de plus en plus rapidement. Spécialiste de la bande-annonce, *l'un des meilleurs de la profession !* Lui qui déteste la photographie !

Il ouvre *Les Métamorphoses.* Livre premier : *Je me propose de dire les métamorphoses des corps en corps nouveaux.* Il se lève et retourne dans la salle de bain. La ceinture y est toujours maladroitement attachée au métal. Il laisse tout ainsi, laisse aussi la lumière, souriant. Puis, cherche.

Il retrouve le vieux Pentax au plus profond de la plus profonde garde-robe. Il l'arme, s'applique exactement comme s'il était chargé, revient et s'appuie à l'encadrement de la porte, cadre le métal et le tissu, règle l'ouverture et la distance – les chiffres lui conviennent – puis n'a qu'à effleurer le bouton. Le bruit l'étonne, il regarde l'indicateur de poses : vingt-deux. Il ne se rappelle plus depuis quand la pellicule s'y trouve.

Il ne voulait que jouer, mais il se dit qu'il vient peut-être, à l'instant, à son insu, de compliquer ce petit univers.

CHAPITRE 2

Jean-Pierre repose simultanément son couteau et sa fourchette de chaque côté de l'assiette. Il le regarde et sait déjà, à ce geste, ainsi qu'aux Toulouse qui refroidissent grassement, que Jean-Pierre va se composer à l'instant un air faussement angoissé. Il décide donc de prendre l'initiative avant que Jean-Pierre n'ait enfin trouvé une formule qu'il juge assez intelligente pour amorcer la conversation.

— Le rôle te plaît pas ?

— C'est pas vraiment ça. Bien que je ne voie pas tout à fait encore de rapport entre le personnage que je jouerais et le vieux kidnappeur mythologique qui, d'après Patrice, lui aurait servi de modèle. Tu te rappelles ? Le vieux satyre qui enlève la fille, là,... Eurydice... pour l'installer dans son loft, sous terre ?

— Ça doit avoir à faire avec la passion, j'imagine. L'excès. Tu sais, j'ai pas encore vu le scénario de Marie, alors...

— C'est bien ça, le problème, le scénario ! D'après ce que Patrice m'en a dit : pas d'histoire ! Plein de situations, de personnages, trop de personnages si tu veux mon avis, mais pas d'histoire, pas de fil conducteur. Et la fin ! Attends seulement de voir la fin !

— Tu sais bien que Patrice ne s'est jamais trop trop préoccupé de filmer des histoires.

— Je sais, je sais, il préfère – comment il disait ça au juste, le critique ? – *mettre en scène le fonctionnement fantasmatique des imaginaires*, mais j'espère que ça va coïncider avec *le fonctionnement fantasmatique de l'imaginaire* des producteurs. Sinon il va falloir nous contenter, en tout et pour tout, de ta bande-annonce. Et puis, cette idée qu'on garde tous, dans le film, nos noms véritables, alors que tout ça est supposément inspiré d'un truc qui s'intitule *Les Métamorphoses*... Il paraît que cela va constituer *une fascinante mise en*...

— ... abyme... mise en abyme... avec un i grec...

— Oui, enfin, i grec ou pas, j'aimerais mieux m'appeler Dio...

— ... nysos... Dionysos... aussi avec un i grec...

— En tout cas, ce serait moins risqué pour ma réputation.

— Oui, mais il y avait pas beaucoup de Dionysos, rue Des Érables, mon Jean-Pierre !

Jean-Pierre reprend, un peu moins symétriquement, ses ustensiles. Bon signe. Le pire de la crise est passée. Les Toulouse aussi, à leur façon. Il est tout le contraire de Béatrice. Sans cesse, il joue, jusque dans ses gestes les plus banals. Comme si tout devait avoir un sens, comme si tout risquait d'avoir des conséquences aussi imprévisibles que menaçantes. Jean-Pierre n'est pas léger. Il semble bien que tout lui soit mortel.

Quant à lui, moins de quarante bouchées pour la viande (un peu grasse, la viande) et les frites, une trentaine de gorgées pour le demi-litre de rouge, seulement quatre pour l'espresso bien tassé. Un repas réussi, somme toute. Jean-Pierre offre mollement de payer.

— Pas question, vieux satyre, c'est ma tournée.

Une victoire, en quelque sorte, petite, mais qui lui importe, tout comme l'heure et la date. Il y a des journées comme ça : en ordre. Pourtant, les jours de l'ordre sont aussi, trop souvent, ceux du hasard, comme si l'ordre le plus irréprochable portait déjà en lui sa propre subversion, n'attendant que le bon moment pour venir tout saboter.

Aussi, à l'instant même où il calcule scrupuleusement le pourboire, Marie franchit-elle l'entrée du restaurant, laide. Toujours laide, Marie. Depuis l'enfance. Rien de particulier, ni le nez, ni la bouche, ni le corps, somme toute assez gracieux, mais tout à la fois, aussi bien le nez, à sa façon, que la bouche et tout ce corps, encombré jusque par ses rares qualités : laide, tout simplement. Et seule, presque toujours seule, Marie, depuis l'enfance. Un peu moins laide peut-être aujourd'hui, un peu moins seule aussi, bien que personne ne la précède ni ne la suive ; seule, mais étrangement accompagnée, Marie ; un peu plus en ordre, simplement.

Elle ne les remarque pas tout de suite, occupée qu'elle est à maîtriser le corps et la figure qu'elle sait aujourd'hui moins rebelles. Mais d'apercevoir ces deux hommes, qu'elle connaît pourtant depuis toujours, déjà la défait. Puis aussitôt elle se reprend et, souriant même, allonge maladroitement le pas vers leur table. Ment-elle ainsi, souriante et moins laide? Ment-elle encore lorsqu'elle leur lance, d'une voix un peu forte et trop désinvolte :

— Alors, z'allez?

Jean-Pierre, à son habitude, cherche une réponse originale, cherche trop longtemps et manque son effet lorsqu'il finit par murmurer :

— À part deux ou trois i grecs et un kidnapping, ça peut toujours aller...

Désarçonnée par cette mauvaise réplique, subitement plus laide que jamais, elle s'assoit près de Jean-Pierre, ne sachant plus quoi ajouter, assassinée par l'énigme. Il a, quant à lui, le triomphe anormalement modeste.

L'autre alors saisit le vieux Pentax qu'il a tantôt discrètement laissé en bandoulière sur le dossier de sa chaise. Ils le regardent prendre très rapidement les données qui s'imposent, puis, sans leur suggérer quoi que ce soit quant à la pose, il appuie deux fois. Vingt-trois. Vingt-quatre. Puis le mécanisme se bloque. La pellicule est terminée. Vingt-quatre. Décidément, il y a des jours où les nombres sont complices. Il ne comprend pas encore en quoi, mais complices, assurément.

✦

— Deux, trois jours tout au plus.

— Oh ! c'est rien d'urgent, vraiment, depuis le temps.

La jeune préposée sourit, mal à l'aise, à cet étrange client qui ne semble pas trop savoir au juste pourquoi il lui laisse cette pellicule à développer et qui a tantôt paru étonné qu'elle lui demande quel format et quelle texture il désirait.

— On vous les fait en double ? C'est juste un dollar de plus cette semaine.

Là, il rit, franchement, et n'arrive qu'à difficilement bredouiller :

— En double ? Ouais, pourquoi pas... Si elles sont réussies, je pourrai en donner à des amis, les amis aiment tellement ça, les photos !

Encouragée tout à coup, la jeune fille ne peut s'empêcher d'ajouter :

— Puis vous aurez droit à un agrandissement gratuit... huit sur dix. Ça fait joli dans un cadre !

Il s'est déjà un peu éloigné du comptoir, se retourne, la regarde gentiment et lui murmure, presque comme une excuse :

— Vous savez, ce ne sera pas nécessaire. De toute façon, je déteste les photos...

Et elle se demande, le regardant aller, comment un homme qui, il y a un instant, riait de bon cœur, peut avoir tout à coup une si désolante démarche. Puis, d'un brusque mouvement d'épaules, relevées et sitôt abaissées, elle en efface, croirait-on, jusqu'au souvenir. Sur l'enveloppe elle trace alors minutieusement un large *2* dans la case près du mot *JEUX*.

✦

Il ne pense plus aux angoisses maladroites de Jean-Pierre, non plus qu'à la laideur de Marie. Il ne pense plus aux photographies ni au désarroi de la jeune fille. Il traverse, sans trop s'en rendre compte, un quartier aux odeurs d'huile chaude et de viande crue. Il ne compte même pas. Il se sent lourd, lourd jusqu'aux chevilles dans cette brise molle de fin d'été. Il lève difficilement la tête et regarde quelques dizaines de nuages aux ventres noirs, ne cherche pas cette fois à leur trouver du sens, tente plutôt de deviner l'heure qu'il est. Il vérifie et se rend compte qu'il s'est trompé de trente-neuf minutes. Rare. Mais il accélère le pas, tout à coup délesté, car il espère que, dans quelques instants, on lui livrera le courrier, que, dans environ sept minutes, de Venise, Rome, Florence ou Milan, Raphaëlle lui racontera la suite d'une petite histoire au titre toujours incertain.

✦

Pas de date, cette fois. Ni de nom de ville, en haut, à droite encore. Comment l'oblitération a-t-elle pu être rendue à ce point indéchiffrable sur le petit timbre italien ?

Deux feuillets. Plutôt, deux fois le même feuillet. Deux transcriptions de la même lettre, du même unique paragraphe. Jusqu'à la calligraphie – la sienne, tout de suite reconnaissable – qui soit scrupuleusement identique. Impossible de dire laquelle serait l'originale, laquelle en constituerait la copie. Peut-être s'agit-il même là de deux copies d'un original lui-même absent ou perdu. Quelle importance d'ailleurs? Il ne peut pas s'empêcher d'imaginer que l'une des deux était destinée au photographe. Cependant, leur totale similitude – même nombre de lignes, mêmes marges, mêmes ratures... – n'a d'intérêt que si une seule personne a l'occasion d'en apprécier la parfaite conformité.

Deux courtes lettres dans un temps identique, deux lettres sans un seul visage et sans réelle souffrance, deux lettres qui n'ont de véritable intérêt que d'être deux et qui ne trouveraient sans doute de véritable perversion qu'à être quatre : deux lettres pour chacun d'eux. Mais alors, l'autre, le photographe-imaginaire, lirait-il les mêmes phrases?

Il sourit, se disant qu'elle a bien sûr tout prévu. Car elle sait qu'il en énumérera toutes les possibilités, qu'il en inventera même d'inédites et ce, bien avant d'en avoir vraiment lu les mots, puisque, somme toute, ce qu'elle machine là, c'est un jeu qui lui ressemble tellement, à lui :

Ce que l'on craint n'existe plus, alors pourquoi a-t-il fallu que tu aies peur de moi? Voilà comment notre extrême amour fut renversé, et c'est bien là notre drame unique : il n'y a pas de contraire au mot « extrême ». Je suis donc venue ici m'accroupir et non pas fuir les pesanteurs du corps et du cœur. Je suis simplement allée ailleurs que là où la vie m'avait trop tôt posée.

N'est-ce pas elle pourtant qui souvent lui reprochait de parler comme un livre ? N'est-ce pas à elle, jadis, qu'il reprochait non moins souvent d'en lire trop peu ?

Les deux feuillets répétant le même paragraphe, répétant les quatre mêmes phrases, sont placés dans la longue chemise verte. Mais presque distraitement. Tout ordre lui apparaît désormais invraisemblable. Elle le déjoue jusque-là. Elle lui complique la vie.

✦

Vers la toute fin de l'après-midi, il constate qu'aujourd'hui il a oublié la bibliothèque et le texte d'Ovide, dans le coffret bleu, avec les illustrations de Picasso. C'est la première fois depuis plus de trois mois qu'un jour d'ouverture, il ne se rend pas à la bibliothèque pour relire le texte d'Ovide, dans le coffret bleu, avec les illustrations de Picasso. Il se rappelle aussi qu'il n'a pas pensé tantôt demander à Marie où elle en était avec son scénario. Décidément, Raphaëlle le déjoue. Décidément, elle lui complique la vie. Jusque-là.

Au moment même où il va attraper le combiné pour appeler Marie et tenter d'habilement corriger sa maladresse, la sonnerie le fait sursauter. Patrice ne prend pas la peine de le saluer. Il a le souffle court et heureux :

— Béatrice a accepté... Tu te rends compte ? Béatrice a accepté !

Il ne répond pas tout de suite, n'arrive qu'à se souvenir de l'étonnante traduction du vieux Gignac : *Et alors elle mit sa main nue sur sa poitrine.* Il se rappelle Béatrice, la veille, ses poignets et le cordon lâche, son pied droit sur le bord de la baignoire, le corps deux fois accueillant.

— M'entends-tu ? C'est sérieux ! Elle a accepté le rôle ! Le rôle d'Eurydice ! Dis-moi donc, *Eurydice* ça prend deux i grecs ou bien un seul ?

Mais Béatrice ne joue pas, n'a jamais joué, même enfant. Pourtant, elle est devenue comédienne, et elle trouve qu'il s'agit là de la chose la plus normale du monde.

— Mais tu sais quoi ? Elle a insisté pour que le personnage porte son prénom. Bonne idée, non ? D'ailleurs les comédiens vont tous conserver leur vrai prénom. Imagine un peu : Dionysos qui va s'appeler Jean-Pierre. Enfin, je veux dire que Jean-Pierre va toujours s'appeler Jean-Pierre, tu comprends ? tout ça va constituer une fascinante mise en abyme... Tu crois pas ?

✦

Il aime se lever en silence. Même quand Raphaëlle était encore là, il aimait se lever dans leur double silence et déchiffrer, dans la pénombre, quelques objets familiers. Il aime se lever en silence et, dans cette chaude paresse qui l'enveloppe toujours, se risquer à prévoir certains événements de la journée.

Aujourd'hui, le jeu lui semble facile. Il devine tout de suite que, bientôt, Patrice lui proposera de tenir un petit rôle dans son film. Il sait qu'il réussira d'abord à paraître étonné, qu'il en rira même, sincèrement, refusera, prétextant que, non, à tout bien considérer, il n'a vraiment pas le prénom qui conviendrait à ce personnage – mais il n'arrive pas encore à savoir de quel personnage il peut bien s'agir. Il devine qu'à coup sûr Patrice sera déçu, car il commence à comprendre ce que Patrice a en tête, mais cela, pour le moment, c'est une tout autre histoire.

Dans son petit exercice de prémonition matinale, il apprend aussi que, tantôt, traversant ce parc qui l'éloigne de la bibliothèque, n'oubliant pas cette fois de compter ses pas, il croira reconnaître Raphaëlle, là-bas, près du bassin, dans sa robe jaune et blanche, avec des fleurs de rideau. Il s'arrêtera, pour ne pas perdre le nombre de ses pas, et reverra son corps, les seins un peu lourds, le nez droit qu'elle a pourtant toujours dit légèrement relevé, cette rondeur sous le menton et, même de si loin, la claire et verte transparence du regard.

Il imagine que, pendant un très bref moment, il pensera à agiter la main dans sa direction, peut-être même à prononcer, bien que faiblement, son prénom, roulant et aérien. Il ne doute pas cependant qu'il y renoncera. À quoi cela lui servirait-il, puisque, n'est-ce pas écrit, Raphaëlle se trouve à Venise, sinon à Rome, Florence ou Milan ?

Il avancera la jambe, reprendra le compte de ses pas dans cette chaleur infernale, en cette fin d'été, ne regardant plus qu'au loin, droit devant, la lourde porte de la bibliothèque. Il ne se retournera surtout pas, car sous aucun prétexte il ne voudra la perdre une deuxième fois.

Il est maintenant plus convaincu que jamais qu'il doit refuser ce rôle, même s'il s'agissait du personnage d'Orphée, de l'histoire d'Orphée. Et il ressent alors une fatigue, une immense fatigue qu'il ne peut que se nommer à lui-même *la fatigue du passé.*

La porte de la bibliothèque, et il sait que c'est aussi dans l'ordre des choses, cédera beaucoup plus facilement aujourd'hui ; et la jeune bibliothécaire rougira cette fois lorsque, au moment où elle lui tendra le coffret bleu, il lui regardera un peu trop longuement les deux poignets. Lui-même sera troublé par son émotion, la remerciera maladroitement et n'arrivera que très difficilement à reprendre le cours de sa lecture, préférera même relire un ou deux épisodes qu'il sait déjà par cœur.

Livre onzième, *La Mort d'Orphée.* Orphée – avec un e muet – tué par des femmes, mis en pièces d'en avoir trop aimé une et de s'être, ne serait-ce qu'une seule fois, retourné.

Non, rien, vraiment, qui lui convienne moins comme rôle. Patrice peut avoir parfois de bien étranges idées.

✦

— Ce pays est horrible !

— Alors, va ailleurs !

— Et où ça ?

— Je ne sais pas, moi. En Italie, tiens. Rome, Florence, Milan... Venise peut-être. Tu pourrais m'y écrire des lettres obscures sur un extrême amour et sur les pesanteurs du corps et du cœur...

— Qu'est-ce que tu racontes ?

À la fin de chaque saison, Béatrice décrète que ce pays est horrible. Elle dit que, cette fois, elle le ressent comme *une désagréable sensation de froid, juste là, à la frange du pubis.* Il se souvient qu'il y a déjà eu, au cours des années précédentes, des symptômes plus alarmants : de longues semaines de détresse, une consommation inquiétante de cocaïne et même une tentative de suicide avec une lame encore toute blanche d'une poudre parfaite. La poudre, c'est lui qui la lui avait procurée.

— Tu vas voir, lui avait-il alors dit, c'est exactement comme dans *Bazaar* de Stephen King, elle goûte la banane et le pamplemousse. Bon signe, très bon signe.

— Je t'ai demandé deux grammes de coke, pas une salade de fruits, avait-elle répondu en riant.

Trop fort, se rappelle-t-il maintenant, elle avait ri beaucoup trop fort. Mauvais signe, très mauvais signe.

Marie, qui *passait par là*, l'avait trouvée inconsciente sur le plancher de la salle de bain, lui avait solidement garrotté les poignets et avait fait disparaître le peu de poudre qu'il restait, et la lame, blanche et rouge.

Elle ne l'avait pas quittée durant les vingt jours qu'elle avait passés à l'hôpital et *fréquenté l'enfer*, comme elle le dirait plus tard. Laide alors, Marie, très laide alors, Marie, gardienne immobile d'une belle amie qui avait tout de même pensé mourir. Marie ne voulait pas que Béatrice vienne ajouter son visage à tous ses portraits de morts. Car il y avait *les morts de Marie*: ça mourait beaucoup autour de Marie. Ses parents, très jeunes et dans des circonstances mystérieuses, un amant – le seul, disait-on, – d'une balle logée exactement au centre du front, son unique œil désormais, et plusieurs amis de maladies aussi rares que diverses. Il y avait toute une mythologie autour des *morts de Marie*.

✦

— Patrice m'a dit que tu avais accepté de jouer Eurydice.

— Non, elle s'appellera Béatrice. Et tu sais très bien que cela ne sera pas exactement du jeu.

— Oui, oui… bien sûr. Mais j'avoue que je t'imagine mal au royaume des morts avec ta sensation de froid à la frange du pubis.

— Très amusant. C'est surtout pour Marie que j'ai accepté : je lui dois bien ça. Et puis j'ai l'impression de déjà très bien connaître le rôle. Remarque que je n'ai toujours pas lu le scénario, mais c'est une histoire connue, non ?

— Eh bien justement, non, j'ai bien peur que ce ne soit pas une histoire aussi connue que ça !

Il lui servirait à quoi de lui dire qu'il ne croit déjà plus ni au film, ni même au scénario de Marie qu'il n'a pourtant pas encore lu, ni à la mise en scène de Patrice ? Qu'est-ce qu'elle penserait de lui s'il lui avouait, comme cela, qu'il ne pense plus déjà qu'à la bande-annonce, que tout le reste lui semble superflu et factice ? Il ne le lui dit donc pas, mais il croit deviner qu'elle a compris, à ce sourire surtout qui ne cesse, chaque fois, de le ravager. Il sait qu'ils sont, à ce moment précis, dans le même petit coin du monde, recroquevillés tous les deux dans ce petit coin du monde. Il devine également qu'elle n'a presque plus froid maintenant à la frange du pubis.

Béatrice ne lui demande jamais s'il a reçu des nouvelles de cette femme qui est partie. Elle a même voulu oublier jusqu'au nom de cette femme qui est partie. Non pas qu'elle déteste Raphaëlle, ni même qu'elle lui reproche de quelque façon sa fuite : plutôt une sorte de deuil qu'elle fait à sa place à lui, dont elle s'explique encore mal l'apparente indifférence. Aussi s'étonne-t-elle lorsqu'il lui avoue abruptement, sur le ton de la plus parfaite banalité, qu'il a déjà reçu trois lettres.

— La première m'est arrivée le douze, mais était datée du quinze, du même mois évidemment. La seconde, deux jours plus tard, avait été écrite le sept, mais ne m'était pas vraiment destinée. La plus récente ne portait pas de date, mais il y en avait deux copies dans la même enveloppe.

— Deux copies ! ?

— Oui, oui, deux fois exactement la même lettre, un seul paragraphe, sans date ni lieu, à peine une signature.

— C'est une drôle de distraction, non ?

— Il n'y a pas eu de distraction, mais il y a eu un autre homme. Un photographe. Tu te rends compte, un photographe !

✦

Le noir est sans détail. Sans erreur qui vraiment le guette. Le noir de cette nuit-là est tout particulièrement sans détail. Que la chaleur de Béatrice, si près, le souffle long et calme. Seule cette chaleur lui montre du réel, seule cette chaleur lui révèle le monde avec la lenteur des apparitions. Il vit cet instant comme un moment très ancien, et qui, peut-être, n'appartiendrait pas à sa propre existence. Il croit – et il le croit sincèrement – que ce noir, cette nuit, cette chaleur et ce souffle sont de tout temps, que ce réel-là est de toute éternité.

Se lever en silence ne lui paraît donc qu'une façon de tout préserver, de ne rien brusquer dans cette organisation du monde, de ne pas en interrompre tout le retentissement. Il n'a plus l'habitude d'un tel repos, et c'est étrangement ce qui le réveille tout à fait : une musique heureuse et mélangée de regrets.

Il se rend dans la petite pièce qui lui sert de salle de travail, s'assoit à la table, fait glisser vers lui le long dossier trop vert, l'ouvre d'un geste que l'on dirait craintif. Il relit les trois lettres et même les deux copies de la dernière. Ce n'est pas qu'il cherche à comprendre. Ces lettres ne sont en rien des indices, non plus que des pièces à conviction. Ces lettres, cela du moins il le sait, c'est sa façon à elle de ne pas se soumettre, de s'appliquer à ne pas sombrer dans l'épuisement de la nuit entière. Il n'y peut plus rien, sinon lire et, bien qu'en secret, au noir presque, mentir à son tour, feignant d'être dérouté, pris au piège, tentant désespérément de reconstituer, lettre après lettre, l'histoire qu'elle s'efforce pourtant de ne pas lui raconter. Raphaëlle sait qu'il s'y acharnera et qu'il s'agira là de leur toute dernière complicité, du seul lieu où le mensonge désormais ne sera plus possible.

Il repousse la chemise vers le coin sud-ouest de sa table de travail, l'y glisse exactement sous l'édition de poche lue, relue et si généreusement annotée des *Métamorphoses.* Il revient vers Béatrice qu'il ne distingue pas tant la nuit est sans erreur et sans détail, mais elle rit tout bas dans son sommeil, et cela le guide jusqu'au lit comme un fil lumineux. Il s'y étend très lentement, n'osant pas la distraire de son rêve. Presque aussitôt s'endort. Et bien vite, il rêve d'une ville sans nom dont il cherche désespérément à sortir, tant il s'y sent menacé. À quelques pas devant lui, Béatrice apparaît, souriante, et lui lance une corde qu'il saisit, tout à coup rassuré. Il reconnaît aussitôt la ceinture de son vieux peignoir, en rit tout bas, mais Béatrice, bien sûr, a déjà disparu.

De même, à son réveil, elle n'est plus là. Rien qu'un petit mot sur un feuillet jaune autocollant qu'elle lui a, très doucement, appliqué sur une fesse : *J'ai une répétition. Je t'embrasse sur tes trois petites joues. À bientôt.*

✦

S'habillant, il trouve au fond de l'une de ses poches, tout froissé, le coupon dont il a besoin pour récupérer ses deux jeux de photographies – grand format, fini lustré. Il ne sait trop pourquoi, mais cela l'inquiète, comme s'il risquait d'y découvrir quelques images inconnues de l'enfance, le bonheur sévère de ces vieilles figures en noir et blanc et peut-être bien deux ou trois ancêtres mystérieux. Aussi est-il un peu inquiet lorsque la même jeune préposée, s'excusant presque, le prévient :

— Regardez : le laboratoire a écrit sur l'enveloppe *très vieille pellicule.* Possible donc qu'il y en ait plusieurs qui soient ratées. Dans ces cas-là, on ne peut rien garantir. Vous savez, deux ou trois ans... l'humidité, tout ça. C'est très fragile.

— C'est pas très grave, de toute façon...

— Oui, je sais, vous détestez les photos.

Il lui sourit gentiment et s'éloigne d'un pas mal assuré. Il sait qu'il lui faudra quelques jours avant d'oser y jeter un coup d'œil. Il souhaite seulement que tout ceci soit sans couleur, car généralement il n'y a pas de couleur dans ses souvenirs, pas de couleur et peu de paroles. Des images fixes, des gros plans, surtout des gros plans. En noir et blanc. Le plus souvent, sans trop de nostalgie et sans vraiment de surprise lorsqu'elles se proposent à sa mémoire.

Une seule image d'ailleurs suffit à contenir presque toute l'enfance : la figure du père-comptable. Il a les joues gonflées et le regard très rond, s'apprête à souffler ses bougies d'anniversaire. Il a vingt-sept ans ce jour-là, le père-comptable. Mais il a déjà les cheveux grisonnants malgré la remarquable clarté du regard. Lui n'a alors que trois ans, et ce n'est qu'à son propre vingt-septième anniversaire qu'il se remémorera cette scène. Comment donc pouvait-il encore être aussi jeune alors qu'au même âge le père-comptable avait déjà tout du vieillard ? Et depuis vingt ans maintenant, cette seule image suffit presque à contenir toute l'enfance, une image irrémédiable, mais sans désolation, comme un mirage de chemin.

✦

Il serait bien moins long qu'il se rende directement du laboratoire photo à la bibliothèque. Pourtant, sans trop y réfléchir, il décide de refaire le trajet jusque chez lui et d'en repartir, sans même entrer, de la première marche du perron. Car il compte toujours à partir de la première marche du perron.

Sa démarche, tout à coup, sous une lumière abusive, ressemble davantage à une distraite déambulation qu'au pas rythmé de celui qui sait où son corps le mène. On croirait, à le voir, que ses pieds toujours se lèvent et très rarement se déposent. D'ailleurs, ils ne tombent pas, ses pieds, ils descendent vers le sol. On ne penserait pas, à cet instant, dire de cet homme qu'il s'en va quelque part, mais plutôt qu'il vient, à chaque pas, vers tous ceux qui le voient.

Pourtant, il compte. À chaque centaine, il replie un doigt dans ses poches, en commençant par le pouce de la main gauche. Il traverse ainsi très lentement le parc, désinvolte, n'obéissant, en apparence, qu'à l'air et à la lumière blondissante de la mi-journée. Et pourtant, articulant clairement chaque nombre dans son esprit, il compte et avance avec une rigueur que personne jamais ne lui soupçonne.

Elle ne cessait de lui dire qu'il était l'homme de l'ordre. Il s'imagine cependant de plus en plus comme l'homme des métamorphoses.

Huit doigts. Plus que trois marches. Huit cent trois enjambées, le chiffre magique du huit juin, plus de trois mois plus tard, huit cent trois, sans tricher, sans mentir, sans avoir eu à ajuster son pas. Il regarde sa montre. Il est treize heures quatre. Une heure intelligente, oui, vraiment une heure intelligente, surtout pour un jeudi.

CHAPITRE 3

L'enveloppe fait un bruit vraiment désagréable lorsqu'il en décolle le rabat. Il se dit aussi que ça sent, des photographies, et que, pour lui, ce n'est pas sans évoquer l'odeur de l'urine. Il se souvient qu'il s'agit précisément là de l'odeur qu'il a toujours supposée à la névrose.

Il préfère d'abord n'en examiner, et à une bonne distance encore, que les négatifs. De n'y apercevoir aucune couleur déjà le rassure. Car ces négatifs-là, il ne les regarde pas, il les guette plutôt. Il se rend vite compte que les trois premiers clichés ne semblent présenter que des taches indistinctes, et cela ne les rend à ses yeux que plus menaçants. Il commence à regretter d'avoir un peu légèrement choisi le grand format, les taches ne pouvant y être que plus éloquentes, les formes peut-être plus reconnaissables.

Il est évident que l'amorce du film a été exposée à la lumière : la pellicule aura donc été maladroitement installée. Cela lui ressemblerait bien d'avoir ouvert, après coup, le boîtier pour vérifier si tout était bien en place. Pourquoi donc n'a-t-il aucun souvenir de ce jour-là – un jour d'anniversaire peut-être : le sien ? celui de Raphaëlle ? d'un ami ? –, alors que sa mémoire ne le trahit que très rarement ? Pourquoi n'a-t-il pas terminé ce film, puisqu'il ne restait plus que trois poses au compteur ? Pourquoi ne l'a-t-il jamais fait développer, reléguant le vieux Pentax au plus profond de la plus profonde garde-robe de l'appartement ?

Il n'arrivera pas, il le sait, à affronter tout cela d'un seul coup. Il risquerait d'y *perdre le sens*, comme le décrétait sa mère lorsqu'enfant il avait un étrange comportement : *Dis donc là, perds-tu le sens toi !?* Il ne veut perdre ni le sens ni la carte, il espère tout retracer au contraire, parvenir à mettre un peu d'ordre dans toutes ces images terrestres, toutes ces empreintes : le seul monde possible qui, pour le moment, lui soit offert.

Mais s'agit-il vraiment du passé ? Car avec ces vieilles photographies, s'agit-il vraiment de reconstituer une scène qu'il pourrait désormais confortablement habiter ? Une carte claire où il arriverait, enfin réconcilié, à lire sans aucune angoisse l'habituel *vous êtes ici*, puisqu'il connaîtrait cette fois le trajet le plus rapide vers la seule sortie qu'on lui aurait ménagée ?

Il décide donc qu'il ne regardera qu'une ou deux photographies par jour. Et ce n'est que lorsqu'il remet l'enveloppe dans le sac qu'il y découvre une pellicule neuve dont la petite boîte proclame – et il a subitement l'impression que l'on se moque de lui : *Gratuit : 24 poses avec tout développement d'une pellicule dans l'un de nos laboratoires !*

Il tient la petite boîte du bout des doigts, comme un corps étranger dont il craindrait une mystérieuse contagion, la retourne en tous sens, sans trop savoir au juste ce qu'il y cherche, relit le sarcasme qu'on y a surimprimé, réussit tout de même à en sourire froidement. Et il a déjà amorcé le geste de jeter la chose dans la petite corbeille, lorsqu'il la glisse plutôt dans la poche de son veston, prétextant, pour lui seul, qu'*on ne sait jamais, après tout ça pourrait toujours servir à quelqu'un d'autre.*

Sa poche est profonde, il voit à ce que la bête y soit au plus creux et dans un coin encore, sans pour autant qu'il la sente à la hanche ou à l'aine. Il bouge un peu pour en vérifier le résultat, puis sourit cette fois, plus satisfait que vraiment rassuré. Il croit avoir échappé au pire, mais la vilaine chose n'en demeure pas moins là, tapie, au plus creux.

✦

Patrice connaît ses habitudes, toutes ses petites habitudes. Jamais pourtant il ne penserait appeler cela des *manies.* Jamais il ne s'en moque, ni même rarement lui en parle. Tout cela, dirait-on, ne l'intrigue même pas. Que l'autre compte, mesure, vérifie lui a de tout temps paru dans l'ordre des choses, puisque, dans son souvenir, il a toujours compté, mesuré, vérifié. Il a déjà tenté, il y a très longtemps, de lui expliquer l'intérêt, le plaisir même qu'il avait à ainsi tout évaluer, tout chiffrer. Patrice avait à peine écouté, comme s'il disait des évidences, et il n'en avait entre eux presque plus jamais été question.

Mais Patrice n'en connaît pas moins ses habitudes

et, ce jour-là, Patrice l'attend, assis sur ce banc, en plein centre du parc, là où il faut, à l'heure qu'il faut.

Aussi n'est-il pas surpris, juste là où il faut et précisément à l'heure qu'il faut, d'apercevoir, comme une excroissance du banc vert, les longues jambes bien droites de Patrice empiéter sur l'allée. Il n'est pas non plus surpris de voir que Patrice ne regarde pas vers lui, alors qu'il n'est plus qu'à quelques mètres maintenant. Car Patrice, il n'en doute pas, a reconnu son pas, aussi bien le bruit que le rythme de son pas, depuis bien longtemps. Patrice ne bouge même pas lorsqu'il s'assoit, presque trop près, silencieux, à son tour étirant ses jambes pour qu'elles empiètent sur l'allée de gravier. À peine si Patrice regarde un peu plus intensément devant.

— Alors ? dit-il, comme s'il poursuivait une conversation commencée depuis déjà plusieurs minutes.

— Alors quoi ?

— Tu sais très bien.

— Alors c'est non, répond-il, sans même prendre la peine de jouer, contrairement à ses prévisions du réveil, l'hilarité et l'étonnement.

— Je t'en prie : deux séquences, à peine sept ou huit répliques. Un jeu d'enfant pour toi, je t'assure. Tu as quand même déjà fait des petits rôles, non ?

— Pas question. Tu m'as engagé pour la bande-annonce et ce sera la bande-annonce, rien d'autre. Peut-être un petit coup de main au moment du montage, mais pour ce qui est de jouer...

— Voyons, tu connais tout le monde : Béatrice, Jean-Pierre...

— Justement, je connais tout le monde, tu connais tout le monde, tout le monde se connaît et j'ai très bien compris où tu voulais en venir.

— Ah oui ? Alors explique-moi, parce que, vois-tu, je n'ai pas encore moi-même une idée vraiment précise de ce que je veux faire !

— Ça aussi je le sais, ça aussi ça va de soi. Mais, crois-moi, tu vas très bientôt tout comprendre et tu n'en reviendras pas toi-même d'avoir eu une aussi brillante idée !

Patrice l'écoute à peine, comme si pour le moment il n'avait pas vraiment à entendre ce qu'il lui révèle, comme s'ils ne se jouaient pas la bonne scène, au bon moment. Et c'est presque pour lui seul qu'il ajoute :

— Je t'avoue qu'au tout début du projet, j'avais aussi pensé à... Raphaëlle, pour un petit rôle.

— Imagine-toi donc que je m'en doutais un peu. Et pour quel personnage au juste ?

— Eurydice... Pénélope peut-être...

— Là, tu te trompes tout à fait d'histoire, Patrice : Pénélope ça c'est Homère, pas Ovide, c'est *L'Odyssée* d'Homère – n'oublie pas le i grec là non plus – et je te rappelle que dans notre histoire à nous c'est Raphaëlle qui est partie, alors que, dans *L'Odyssée*, c'est Pénélope qui attend. Et je te précise tout de suite qu'en ce qui me concerne, désolé, mais je n'ai rien de Pénélope qui attend, en tissant et en détissant, que l'autre revienne !

— Je sais tout ça, mais ce serait amusant de mêler toutes ces figures, deux ou trois récits ? De toute façon, j'avais pensé à ça bien avant qu'elle disparaisse, alors...

— Elle n'est pas disparue, non elle n'est vraiment pas disparue. Et si tu veux la faire tourner dans ton film, bonne chance. Commence toujours par aller la chercher à Venise, à moins qu'elle ne soit à Rome, tiens, ou à Florence, ou pourquoi pas à Milan. Mais en ce qui me concerne, fais-moi plaisir, veux-tu ? Oublie ça ! En ce moment, les personnages, très peu pour moi !

Quand il se lève, sans prendre la peine de le saluer, Patrice ne bouge même pas. Il a toujours les jambes bien allongées, empiétant sur l'allée de gravier. Sa tête non plus ne bouge pas, même lorsque l'autre, à quelques pas de là, se retourne pour lui lancer un peu nonchalamment :

— Ah oui, à propos de la bande-annonce, j'ai eu, je pense, une assez bonne idée. Enfin... je crois... Mais faudrait quand même que je voie le scénario, non ?

— Oui, oui... Marie m'a dit qu'elle en aurait fini d'ici quelques jours.

Il poursuit son chemin vers la bibliothèque, et Patrice, écoutant le crissement de ses pas sur le gravier, se demande s'il a réussi, malgré cette interruption, à en garder le compte. Mais il n'en doute pas vraiment et, complice jusque-là, commence, en silence, à l'accompagner dans sa secrète et mystérieuse comptabilité : *quatre cent un, quatre cent deux, quatre cent trois...*

✦

À la bibliothèque, il ne se présente pas au comptoir pour demander le texte d'Ovide. La jeune fille – mais il ne le remarque pas – le regarde se diriger vers son alcôve habituelle ; déroutée, elle n'arrive qu'à baisser les yeux vers ses frêles poignets, inutiles, lui semble-t-il, aujourd'hui.

Il dispose devant lui les trois premières photographies, sur une même ligne, parfaitement équidistantes, tente de les regarder toutes les trois à la fois, comme si elles constituaient un tout, formaient, de gauche à droite, une courte séquence. Il n'y reconnaît rien que des ombres plus ou moins lourdes et une lumière blafarde qui viendrait d'en haut.

Il ferme les yeux, les ouvre aussitôt, les referme et les rouvre, recommence plusieurs fois ce petit manège et, à la douzième ou treizième fois, il voit, mais très rapidement, la chevelure et les orbites des yeux, à peine différentes d'une image à l'autre puisque ces photographies – cela lui semble maintenant évident – ont été prises en rafale, avec une fébrilité qui ne pouvait être qu'amoureuse. Cela expliquerait même que la pellicule ait été installée aussi nerveusement, avec les doigts impatients et gauches de celui qui craint que l'autre ne lui échappe ou même, qui sait, tout à coup ne disparaisse.

Il reconnaît cette chevelure, n'en a presque rien vu, mais ne la devine pas moins : mi-longue, sage, toujours ramenée avec l'index derrière l'oreille droite, plus rebelle à gauche, masquant parfois jusqu'à l'œil et la commissure de la bouche. Elle en léchait souvent les pointes comme lorsqu'elle était enfant. Il en imagine encore les reflets roux – *chianti*, disait-elle – et aussi l'odeur : l'odeur de crème et de papier (fraîche, la crème et *bible*, le papier). Il reconnaît sa chevelure.

Il reprend son mouvement des yeux, l'accélère même afin de retrouver, ne serait-ce que très brièvement, l'image incertaine des deux orbites. Il se les figure déjà creuses et un peu rapprochées à la base du nez. Mais il a beau modifier la vitesse de ses clignements, s'approcher ou s'éloigner des trois photographies, allumer et éteindre la lampe en laiton, rien n'y fait : les images, cette fois, gardent leur secret.

— Ça va ?

La jeune fille se tient debout, devant sa table, hésitante, mal à l'aise. Elle a vu, c'est certain, ses grimaces ; quel vertige, quel rituel a-t-elle bien pu s'imaginer ?

— Je peux vous apporter un verre d'eau ? Quelque chose ?

— Non non, ça va. Ce sont ces photographies. On n'y voit absolument rien, alors en recréant un effet stroboscopique avec les yeux... il arrive qu'on y distingue... quelques... formes... plus ou moins reconnaissables...

Elle ne paraît pas, bien sûr, trop comprendre. Il bafouille de plus en plus : *... vous voyez : la distance joue aussi un rôle... et l'éclairage peut être vraiment... déterminant... alors j'essayais de voir un peu...* Il reprend les trois photographies, les échappe par terre, se relevant, heurte sa tête contre le coin de la table, s'excuse, s'excuse trop.

Lorsque la lourde porte de la bibliothèque se referme derrière lui, son éclat de rire est celui d'un enfant, d'un enfant et d'un monstre.

✦

Pourquoi donc ne se souvient-il pas de l'avoir aussi nerveusement photographiée ? S'il se fie à la coiffure qu'il a cru reconnaître (mais il pourrait bien ne s'agir que de nuages aux ventres noirs), ce film date au plus de trois ans. Ils vivaient donc alors ensemble depuis près de sept ans. Dix années dont il croyait pourtant tout se rappeler : leur rencontre sur un air lent et anglais, les petites chambres *exclusives* du Motel Idéal (avec thé, bouilloire et biscuits), l'enfant-mort dès la première année et le prénom qu'ils n'avaient jamais choisi pour l'enfant-mort, les longs mois de ce qu'ils ne se permettaient même pas d'appeler un *deuil*, leur infinie renaissance, puis d'infinies habitudes, l'extrême amour et la mélancolie de l'extrême amour.

Et pourtant, ce jour : ce jour des photographies comme une tache aveugle sur sa mémoire, ce jour-là qui lui échappe et qui bien sûr ne lui en semble que plus fatal dans la petite histoire de tous leurs jours.

Il sait qu'il ne pourra désormais y penser que comme à un autre geste de la mort, puisqu'il a toujours cru que l'oubli n'était qu'un geste, caché, de la mort. Comment donc pourrait-il ne pas avoir, aujourd'hui, cette insupportable impression, ne se souvenant plus que très mal, d'un peu l'assassiner?

Il n'attendra plus ses lettres, n'espère déjà plus qu'elle revienne ou même lui explique. Cela aussi, croit-il, la tuerait lentement. Elle écrira, il lira, feindra de chercher à comprendre, à reconstituer la trame de tous leurs jours, de tous les jours qu'il leur reste. Il jouera le jeu, ne serait-ce que parce qu'un jour elle a été là et que ce jour bouge encore, enfermé, dans sa mémoire sourde. Il voudrait tout à coup pouvoir énumérer tous les jours où elle a été là, ceux de grand vent comme ceux de soleil ordinaire. Il n'y a plus cependant de règles à ce nouveau jeu qu'elle invente de si loin, car on n'y perd pas plus que l'on n'y gagne. *Do not pass go, do not collect $200, go directly to jail!*

Il croit qu'il ne lui reste plus qu'une énigme à résoudre : ce jour-là, le jour des photographies. Il veut s'imaginer qu'il y a là une réponse, une réponse mais aussi, bien sûr, tout le malheur de la question.

✦

Béatrice ne s'étonne jamais. Enfant déjà, elle ne se surprenait ni d'un cadeau ni d'une réprimande. Personne n'aurait su dire si même elle en connaissait le motif. Désirait-elle seulement comprendre le pourquoi des choses? Pourtant, il ne serait venu à personne l'idée qu'elle subissait ces événements; aucune passivité chez Béatrice, une douce obstination plutôt, douce et souvent amusée par toute cette agitation, devant et derrière, par tous les bruissements de son minuscule univers. Béatrice ne s'étonne jamais, mais Béatrice est curieuse :

— Qu'est-ce que c'est ça?

— Trois photographies.

— Bravo, belle enquête! Imagine-toi donc que j'avais cru remarquer. Mais à part les taches, qu'est-ce qu'elles représentent, tes trois photographies?

— Je ne sais pas trop, c'est bien pour ça que je te les montre. Alors, qu'est-ce que t'en penses?

— Il est minuit, docteur Rorschach! Tu n'as rien de mieux à proposer? Je sais pas moi : un petit Monopoly, un Parchési, un Scrabble peut-être? Pas vraiment le goût d'une petite scéance de thérapie ce soir.

— Béatrice, je suis très sérieux, c'est important pour moi. Allez, s'il te plaît, un petit effort. Regarde bien : tu reconnais quelque chose?

Elle se penche lentement sur les images, très concentrée tout à coup, le nez à quelques centimètres de la table. C'est à peine si l'on perçoit son souffle. Seuls ses yeux se déplacent de gauche à droite, de droite à gauche, s'attardant parfois un peu plus longuement sur l'une ou l'autre des trois photographies. Il attend le verdict et trouve son anxiété ridicule. Il n'espère qu'une chose : qu'elle y voie, elle aussi, une chevelure mi-longue et deux orbites creuses, un peu rapprochées à la base du nez.

— C'est évident : c'est un paysage.

— Un paysage?

— Oui, un paysage, c'est un p-a-y-s-a-g-e. Tu sais bien : arbre, ciel, lumière, eau, nature... paysage... avec un magnifique i grec!

— Tu ne vois pas les cheveux, ni les yeux?

— Un paysage, je te dis. Trois fois le même paysage. Mieux encore, le photographe n'a pas bougé d'un cliché à l'autre. L'appareil était très probablement monté sur un trépied et il a attendu que la lumière se modifie, que l'ombre progresse et envahisse un peu plus, chaque fois, son champ de vision.

— Un trépied? Alors pourquoi c'est pas plus clair que ça?

— J'ai l'impression que la pellicule a été volontairement exposée à la lumière, juste avant. Pas de doute, c'est un travail de professionnel, c'est de l'art photographique ça, mon ami!

— Donc ce n'est pas moi qui les ai prises?

— Qu'est-ce que tu racontes?

— Les photographies, je croyais qu'il s'agissait d'un vieux film que j'aurais commencé, il y a environ trois ans.

— Je pensais que tu détestais la photographie?

— Bien sûr, mais je sais pas moi, un jour d'anniversaire, par exemple, ça m'arrivait quand même de sortir le vieux Pentax.

— Et les autres ? Tu dois bien en avoir d'autres que ces trois-là ?

— Vingt et une. Au moins je suis rassuré en ce qui concerne les trois dernières.

— Quoi ?

— Laisse tomber. Une autre fois, je t'expliquerai. Viens, alors qu'est-ce que tu préfères : Monopoly ou Scrabble ?

— Laisse tomber. *Go directly to jail !* Je te suis.

✦

Venise, le 9

Oui, oui, je sais, mais je ne t'envoie qu'une seule photographie. Celle-ci devrait tout de même te plaire. Tout y est si changeant qu'il n'y a plus qu'à inventer. Je te laisse le choix de la légende, pourtant je devine déjà quelque chose qui ressemblerait à « L'amour est un très ancien projet ». Bien peu à voir somme toute avec l'image. Puis, j'imagine que dans une lumière plutôt incertaine, tu la retourneras, et que cela te conviendra, cette eau qui monte et ce ciel qui descend.

D'ailleurs, tu vois, je t'ai malgré tout laissé l'appareil. Je t'abandonne l'univers, car tu sauras bien mieux que moi, j'en suis certaine, lui trouver l'angle qu'il faut.

Je t'embrasse, exactement.

Il est moins surpris, tout compte fait, de cette étonnante coïncidence que de ne pas trouver dans l'enveloppe la photographie dont elle lui parle. Mais l'est-il vraiment ? Cela n'ajoute rien au désastre. Peut-il seulement lui reprocher la manière dont elle a choisi de lui raconter cette histoire ? Il n'y voit ni blâme ni sarcasme, que sa façon à elle de se souvenir, de vouloir le convaincre que le souvenir justement n'est pas naturel, qu'il n'existe pas qu'une seule façon d'ainsi donner des noms à toutes ces choses qui nous ont faits et défaits.

La lettre va rejoindre les autres, dans ce désordre qu'elle lui impose et qui lui convient chaque jour davantage. Il doit même déplacer quelques livres – dont un dictionnaire de la mythologie grecque et romaine, un guide touristique sur Venise et un ouvrage spécialisé traitant du montage cinématographique – pour retrouver la chemise verte dont la couleur est de plus en plus douteuse. Il la repousse négligemment vers l'un des coins de la table et ne remarque pas que les angles que cela crée ne sont pas les angles qu'il faut, surtout un jeudi, car ces angles-là, c'est bien connu, le jeudi, ne réparent pas le monde.

✦

Vers la fin de l'après-midi, il s'arrête chez Jean-Pierre. L'appartement, comme toujours, est un fouillis indescriptible : les vieux journaux forment des piles à l'équilibre précaire, bizarres dolmens aux quatre coins des pièces, les cendriers ressemblent à des petits cimetières surpeuplés récemment vandalisés, dans l'évier et sur tous les comptoirs, des vestiges d'aliments aux couleurs inédites broutent le fond d'assiettes dont on croirait entendre la sourde plainte. La scène est postnucléaire.

— Toujours aussi design chez vous, mon Jean-Pierre ! Si c'est une installation, j'espère au moins que t'as pensé à demander une bourse au Ministère !

Le tableau est à ce point anarchique dans la répartition des masses et des formes qu'il lui faut quelques instants avant d'apercevoir Béatrice qui est assise, immobile, au bout de la table. La seule assiette propre, entre elle et Jean-Pierre, est saupoudrée d'une blancheur qui le fait, bien malgré lui, inspirer plus violemment, deux fois. Béatrice lui sourit, tristement lui semble-t-il, et fait un petit *non* discret de la tête. Il n'a cependant pas besoin qu'elle le rassure ainsi, car l'automne commence aujourd'hui. Béatrice n'a pas succombé, cette fois, à sa détresse des fins de saison ; elle n'a donc plus rien à craindre, du moins jusqu'à l'approche de l'hiver.

La fébrilité de Jean-Pierre par contre ne laisse aucun doute quant à son unique menu de la journée. Il se lève et fait deux fois le tour de la pièce, comme s'il cherchait quelque chose de précis et, bredouille mais plus excité encore, regagne sa place, reniflant bruyamment.

— Encore tes allergies ? On dit que la saison est très difficile cette année !

Jean-Pierre se contente de tapoter la petite pile de feuilles, déjà froissées, qu'il a devant lui.

— T'arrives juste à temps, l'*œuvre* est arrivée !

— Quoi donc ? Le roman que tu nous promets depuis plus de vingt ans ?

— Décidément, quel humour ! Un conseil : gardes-en un peu pour la fin du mois. Non, c'est le scénario de Marie, version finale, définitive et avalisée s'il vous plaît par monsieur-fonctionnement-fantasmatique-des-imaginaires lui-même !

— Et puis ?

— Pire que ce que Patrice m'en avait dit ! Encore plus de personnages et toujours moins d'histoire. Quant au fil directeur, oublie ça, on n'est pas prêt de trouver la sortie du labyrinthe... avec un seul i grec, si ça peut te faire plaisir.

— Et la fin ?

— La fin ? C'est quoi ça ? Est-ce qu'il faut qu'il y ait une fin ? Depuis quand donc ? Naïf enfant va ! Mon Dieu que t'es pas postmoderne !

Béatrice ne dit rien, promène distraitement un doigt au fond de l'assiette, l'essuie sur ses gencives, grimace.

— Toi, Eurydice, qu'est-ce que t'en penses ?

— Banane et pamplemousse ! Un vrai péché !

✦

Sur la quatrième photographie, ce n'est pas d'abord Raphaëlle qu'il remarque, mais cette pièce où elle se tient, debout, face à l'appareil. Il n'en reconnaît ni les meubles ni les tableaux aux murs. Il s'agit d'un endroit anonyme, d'une chambre d'hôtel peut-être. Il ne se souvient pas non plus de lui avoir déjà vu ce pantalon noir et ce veston qu'il s'imagine rouge. Elle tient à la main droite un verre de vin blanc alors que la gauche, dont l'index se prépare à repousser derrière l'oreille la mèche rebelle, lui cache la moitié du visage. Mais il lui suffit de voir cet œil, cette joue, ronde, et un coin de la bouche pour deviner qu'elle sourit.

Il sait alors que ce jour-là sera le jour d'une seule photographie, car une seule parfois réussit à compliquer un peu plus l'univers.

✦

Pas de lettre aujourd'hui. *Mieux comme ça*, se dit-il. Mais une longue enveloppe brune contenant sa copie du scénario et un bref mot de Patrice : *S'il te plaît, repenses-y pour le rôle.*

Il n'en regarde que le titre de travail; il sourit en voyant *Nous mentons tous*, sur la première page. Il ne doute pas qu'il s'agisse d'une idée de Marie. Ce titre lui plaît; mieux encore, ce titre-là lui convient. Il repense à sa bande-annonce : des images fixes, noir et blanc, des gros plans, uniquement des gros plans, allant parfois jusqu'à rendre la lecture de l'image difficile, vingt-quatre images, toujours les mêmes, répétées de plus en plus rapidement, avec, comme fond sonore, le bruit métallique du projecteur et quelques extraits du dialogue.

Sur sa table, il laisse côte à côte l'enveloppe de photographies et le texte du scénario. En sortant de la pièce, il trébuche, rallume et s'étonne de voir par terre des livres, des disques et un petit tas de ses vêtements, sales. Il ramasse pêle-mêle le tout, regarde autour et croit remarquer quelques traces grisâtres aux arêtes des murs et du plafond, aussi une toile d'araignée à l'angle nord-ouest. Il faudra qu'il pense à repeindre, changer tout ça, peut-être même choisir une ou deux couleurs et déplacer certains meubles.

Il éteint, gagne la chambre et se laisse tomber sur le lit encore défait. Juste avant de s'endormir, il rêve d'une nuit en ordre, d'une nuit sans images, d'une nuit sans histoire. *Nous mentons tous*, il ne sait déjà plus de quel côté du sommeil lui parviennent les mots et il n'arrive pas vraiment à en reconnaître la voix ; mais au même instant, il entre, démuni, dans une ville encombrée.

✦

Au réveil, il doit enjamber les couvertures qu'il a, dans l'agitation de la nuit, repoussées par terre, un oreiller aussi et ses vêtements qu'il ne se souvient même plus d'avoir retirés. Il se rince maladroitement une assiette et des ustensiles pour un déjeuner qu'il ne terminera pas et dont il ne pensera certainement pas à jeter les restes.

Il traverse le nuage de lumière du court corridor qui conduit à sa salle de travail sans même remarquer cette étrange pollinisation qui semble bien maintenant gagner tout l'appartement. Seul, il sourit, lorsque pénétrant dans la pièce lui vient à l'esprit l'expression : *Et maintenant, voici la photographie du jour !*

Le rabat autocollant de l'enveloppe fait moins de bruit désormais – à peine celui d'un papier-mouchoir que l'on tire brusquement de sa boîte. L'odeur par contre est demeurée la même, urine et névrose. Il prend une large respiration avant de saisir la cinquième photographie, qu'il n'ose pas d'ailleurs tout de suite regarder. Il ferme les yeux, la pose sur la table et, aveugle, recule de quelques pas. Il quitte même le cercle lumineux que projette la lampe.

Mais la regardant enfin, il sait que même de bien moins loin, avec un éclairage approprié, il n'arriverait pas à reconnaître cet homme que l'on n'y voit que de dos. L'homme paraît plus grand que lui. Peut-être est-ce à cause des épaules, les épaules courbées de qui, beaucoup plus jeune, a désespérément tenté de cacher son corps. L'homme, qui n'est vu que de dos, pourrait avoir à peu près le même âge, bien que les cheveux semblent davantage grisonnants. Le bras droit de l'homme est à demi levé, le coude à angle droit, et l'index pointe vers le ciel. Il comprend tout de suite qu'il s'agit moins pour cet homme d'un geste de départ ou même d'adieu que d'une tentative – ratée, la photo ne le prouve-t-elle pas ? – de retarder la pose. Comme si l'appareil l'avait justement surpris à l'instant où il allait gagner la place dont il croyait qu'elle convenait mieux.

La photographie a été prise dans un parc, à cette heure où chaque parc est le seul parc du monde, chaque arbre, unique et chaque coup de vent, la plus redoutable des menaces. Et cet homme qu'il ne reconnaît toujours pas pourrait aussi bien être, à cette heure-là, le seul homme au monde, le seul dont il n'aurait jamais vu le visage ou entendu la voix. Cet homme-là est l'homme qui échappe, à pas lents, qui échappe, même immobile.

Il ne remarque la bandoulière, à l'épaule gauche, et l'étui, contre la hanche, que quelques instants plus tard. Cet homme qui échappe pourtant ne fuit pas, cet homme-là, bien au contraire, allait tout de suite se retourner et faire face. Que ce seul homme au monde soit photographe bien sûr ne l'étonne pas ; que ce soit elle, il y a déjà longtemps, qui l'ait ainsi immobilisé ne le surprend guère plus. Il ne se questionne, une fois de plus, que sur le jeu. Lui écrivant à lui : *Tu vois, je t'ai laissé l'appareil*, elle savait bien que tôt ou tard il chercherait celui-ci, que tôt ou tard, à son tour, il serait pris au jeu, au piège du photographe-imaginaire.

Il retourne la photographie, espérant peut-être un peu bêtement, qui sait, apercevoir le regard de l'homme et son sourire, mais il y écrit plutôt, au crayon trop gras trop noir : *L'amour est un très ancien projet.*

Et ce matin-là, pour la première fois depuis le jour de l'enfant-mort, il pleure.

Seconde partie

IL FAUT CROIRE LES DORMEURS

CHAPITRE 1

Il y a une faim de l'amour. Et je crois que ce n'est pas qu'une façon de parler.

La première neige, surtout la plus inattendue – celle de septembre par exemple, vers la toute fin de l'après-midi, une neige de cinéma –, m'a toujours paru un phénomène du même ordre que la faim de l'amour, exactement à mi-chemin de la nostalgie et de l'exubérance, un froissement bref et confus entre la mémoire et le présage.

Cette neige jaune et molle du fond du souvenir, cette neige jaune de toutes les villes et de toutes les enfances est à la fois si ancienne et toujours si immédiate qu'elle me laisse, immobile à sa fenêtre, dérouté et frémissant. Et il y a un mot pour tout cela : la mélancolie, la vérité profonde de la mélancolie.

Cette année, heureusement, je ne la découvre pas, déjà tombée, au matin, ce que j'ai toujours trouvé parfaitement désolant. J'aime même m'imaginer en avoir tantôt vu, alors qu'à l'aube tombait une pluie légère, se former le tout premier flocon à la hauteur des corniches, en face. Je l'ai, du regard, attentivement accompagné jusqu'au sol où il s'est évanoui, bêtement retourné à l'eau. Mais relevant la tête, j'en vois maintenant un plein rideau silencieux, sans cesse renouvelé à la juste limite des toits.

Ce seul et tout premier flocon n'était donc que l'arbre qui cache la forêt.

Il m'importe peu maintenant que tous les autres flocons s'abîment au sol, car je garderai plusieurs heures, au plus secret, cette faim, cette vérité profonde de la mélancolie.

Derrière moi, Béatrice, comme toujours avant de s'éveiller, rit dans son sommeil, et pourtant dans quelques instants elle n'arrivera pas à en expliquer la raison. Elle rit, puis elle se réveille, tout simplement.

— Tu riais.

— Je sais, il paraît que c'est comme ça tous les matins.

— C'est étrange.

— Pourquoi ?

— Eh bien, c'est pas tout à fait comme si tu rêvais, pas vraiment comme si tu riais dans un rêve.

— Pourtant je t'assure que je ne me souviens jamais de rien.

— Non, ce n'est pas exactement comme si tu rêvais. On dirait plutôt que tu te moques de quelque chose. Tiens, on dirait justement que tu te moques de tous tes rêves de la nuit ! C'est ça : tu ris de tes rêves juste avant de te réveiller, voilà !

— Et pourquoi donc, cher maître, je vous le demande très humblement, ridiculiserais-je ainsi chacun de mes délires oniriques ?

— Mais c'est pourtant évident : c'est pour mieux les oublier, mon enfant !

— Et ça s'appelle comment, cette maladie, mère-grand ?

— C'est tout simple, ma petite, vraiment très banal : ça s'appelle généralement la peur !

Morose tout à coup et silencieuse, Béatrice se lève et, davantage nue que silencieuse et morose, elle se dirige vers la salle de bain, encore plus nue, dirait-on, à chaque pas. Je la regarde, ne rate aucun de ces instants et l'imagine nue aussi à chacun de ses âges passés dont je n'ai pas connu la nudité ; mais il me manque tant de Béatrice nues dans ma mémoire, ce matin de toute première neige, que je préfère, à mi-chemin du souvenir et du présage, ne penser qu'aux toutes prochaines nudités de ma silencieuse et inquiète amie.

✦

Dans le journal du matin, il est question du film. La photo de Patrice, qui aurait pu avoir été prise vers la fin de l'adolescence, nous fait pouffer de rire et de concert éclabousser la table de café, de miettes de croissants et de confiture. L'article parle de la carrière de Patrice – *un cinéma d'auteur sans concessions aux impératifs comptables de la profession* –, des *deux téméraires producteurs qui ne craignent pas, en ces temps difficiles, les risques financiers d'une telle aventure esthétique*, de Béatrice qui a *accepté d'associer son célèbre nom à une entreprise aussi audacieuse sur le plan narratif* et du titre du film qui n'est pas encore définitif, mais qui révélera à coup sûr une problématique *éminemment contemporaine mais non moins transhistorique.* Sur les *Métamorphoses*, pas une ligne ; d'Ovide, pas un mot.

Pour la promotion du film, cela vaut sans doute mieux, mais nous ne nous en sentons pas moins un peu trahis. Patrice aurait-il décidé de jouer double, de masquer ses sources, de mentir à son tour ? Voilà qui constituerait certes *une fascinante mise en abyme.*

Mais Patrice a-t-il seulement la moindre idée de ce que c'est que le mensonge ? Mentait-il, adolescent, lorsqu'il nous soutenait que, même sous le soleil le plus éblouissant et dans l'angle le plus propice, son corps jamais ne projetait d'ombre ? Avons-nous simplement pensé à cette époque à vérifier ce qu'il affirmait ? Ai-je douté un seul instant de la réalité de ce corps fantôme et souterrain que la lumière, m'assurait-il, n'arrivait jamais à piéger ? Je me rappelle parfaitement, bien que cela n'eût suscité aucune moquerie, aucun sarcasme, l'avoir chaque fois écouté comme on écoute, intrigué, quelqu'un qui répond en dormant aux questions qu'on lui pose. Et j'avais alors décidé qu'il fallait peut-être toujours croire les dormeurs. Car même si nous mentons tous, même si nous avons l'oubli étrangement peuplé d'ombres, il y a sans doute des moments purs.

Béatrice approche, passe ses deux bras autour de mes épaules, et j'ai à peine le temps de tourner la tête qu'elle a déjà pris ma langue dans sa bouche, comme en un doux bec d'oiseau. Je voudrais qu'elle m'aspire et me retourne comme un gant, comme une veste, comme une pièce lancée dont le hasard aurait trop de fois déjà mal choisi la face.

Ce matin-là, je ne le sais que trop bien, chacune des paroles de Béatrice sera une oraison.

✦

Je lis, pendant la nuit suivante, le scénario de Marie et je nous y retrouve tous, bien que les personnages ne soient désignés pour l'instant que par des lettres. Je me reconnais facilement, à la lettre *O*, alors que Raphaëlle porte le *M*. Je ne cherche pas de clef à cette distribution alphabétique. Je n'en suis plus là. Mais ils y sont tous, Jean-Pierre, Béatrice, l'amant-suicidé-cyclope de Marie, beaucoup d'autres, même mon père-comptable aussi adoré qu'étranger et ma mère-mère entre toutes les femmes, un enfant-mort, à la lettre *C*, une jeune bibliothécaire, un facteur, un vieux professeur de langue latine, Marie elle-même, à la lettre *Z*, Patrice bien sûr, également une employée dans un laboratoire photo et un photographe-imaginaire dont je ne me souviens plus tout à coup de l'initiale.

Dois-je m'en étonner ? Je croyais que cette idée de raconter notre propre histoire serait celle de Patrice ; Marie l'a-t-elle consulté ou alors lui a-t-il, à sa façon, suggéré quelques éléments du scénario ? Il m'importe assez peu pourtant de savoir comment elle a pu apprendre certains détails, certaines situations privées, intimes même, et aussi quelques conversations que je croyais confidentielles.

Étrangement, je ne me sens pas piégé, ni dépossédé. Je n'arrive pas à croire que j'ai été trompé. D'ailleurs n'y sommes-nous pas tous, sans aucune pudeur non plus que sans aucun jugement, n'y retrouve-t-on pas des précisions jusque-là inconnues sur le suicide de l'unique amant de Marie – jusqu'à l'angle exact et tragique qu'avaient formé le front et le canon du fusil –, sur la polyvalence sexuelle de Jean-Pierre ou sur l'inconsolable solitude du photographe-imaginaire ? Tout cela, bien sûr, n'a rien de raisonnable.

Et je crois que s'il arrivait à Béatrice de rêver de tout cela, il est certain qu'au matin elle préférerait en rire juste avant de s'éveiller.

Mais le scénario est bel et bien là, au centre de ma table de travail, juste à côté de l'enveloppe de photographies. Le scénario est là qui raconte notre vie, à tous, mais la mienne surtout, sans pudeur non plus que sans complaisance.

Ce qui m'étonne le plus, c'est que Jean-Pierre, l'autre jour, n'y ait apparemment rien compris, ou n'y ait rien voulu comprendre. Béatrice, de toute évidence, n'en avait pas encore pris connaissance. Je ne vois pas trop bien comment Patrice arrivera à assurer une telle distribution. La jeune et frêle bibliothécaire y jouera-t-elle son propre rôle ? Et le photographe-imaginaire ? La chose me paraît de plus en plus insensée, tout cela semble vouloir me dire que je ne suis plus, tout compte fait, qu'un être de hasard. Ce que Raphaëlle bien sûr a compris depuis longtemps.

J'ouvre le scénario et aussitôt je suis là qui pense, mon personnage pense ; j'ouvre le scénario et déjà s'offre à moi l'un des mondes possibles où pense mon personnage. Mon personnage marche, mon personnage compte, mon personnage reçoit des lettres d'Italie et regarde des photographies auxquelles il ne comprend rien.

D'ailleurs, à la page quarante-trois du scénario, ce personnage observe attentivement la sixième photographie qu'il vient de retirer de l'enveloppe avec grande et théâtrale précaution. La femme y apparaît assise. Dans un parc, son parc, mon parc. Sur un banc, peut-être bien mon banc. Elle est assise dans un parc, mais elle pourrait tout aussi bien être assise dans une gare. Car elle a l'attitude de celle qui est assise dans une gare, la gare de Milan par exemple. Je ne saurais alors trop dire si elle y descend ou bien si elle s'apprête à partir. Elle a le dos droit de quelqu'un qui attend, mais elle n'attend pas, car elle n'est pas assise dans la gare de Milan, plutôt dans ce parc que je traverse chaque jour en me rendant à la bibliothèque.

Sur ce banc, elle lit. Ouvert à angle droit, elle tient le livre à la hauteur des yeux et, même de si loin, il est écrit dans le scénario que j'arrive à reconnaître quelques formes sur la couverture, quelques formes plutôt indistinctes et un titre de trois mots, trois mots que je pourrais bien sûr m'imaginer être *Nous mentons tous*. Pourquoi pas ?

Étourdi, tenant à peine sur mes jambes, que j'ai pourtant largement écartées afin d'assurer mon équilibre, je replace la sixième photographie dans l'enveloppe qu'à son tour je dépose au centre de la table de travail, juste à côté du scénario.

Mais non, c'est plutôt la page quarante-trois que je replace dans le scénario pour ensuite le remettre tout près de l'enveloppe de photographies. Mais cela ne me semble pas tout compte fait avoir vraiment d'importance.

Que je l'aie imaginée, quelques jours plus tôt, près du bassin d'eau du parc, alors que Marie décide de l'installer sur ce banc près de l'allée de gravier, lisant un livre dont la couverture – arbre, eau, ciel, lumière – représente un obscur paysage, cela non plus ne recommence pas le monde, même si, ce matin-là, ce n'est pas tout à fait dans l'ordre des choses.

✦

— Et puis, qu'est-ce que t'en penses ?

— De quoi donc ?

— Cesse de jouer, veux-tu ?

— Tu parles de l'article dans le journal ou du scénario ? Si tu fais allusion au reportage, je crois que ta photo à elle seule vaut largement le prix d'entrée pour la première du film ! Tout ce qui te manque, Patrice, c'est la laine grise du pantalon, la chemise bien blanche, le blazer marine et l'écusson flamboyant de Saint-Pierre-Claver *cru versification 1965*. Mais j'ai bien peur que le bon vieux Gignac ne serait pas très fier de ton peu de reconnaissance envers ce cher Ovide !

— Le journaliste a pensé qu'il était peut-être préférable de pas trop insister là-dessus, je pensais que c'était aussi ton opinion, non ? Tu te rappelles : Ovide Plouffe, Rita Toulouse, Roger Lemelin... ?

— Ça va, ça va, mais deux ou trois mots sur *Les Métamorphoses* n'auraient sans doute pas suffi à faire fuir les foules.

— Bon, très bien, j'essaierai de me repentir la prochaine fois. Et le scénario ?

— Ça, j'ai encore un peu plus de difficultés à comprendre. Pour quelqu'un qui, il y a quelques jours à peine, ne savait pas trop dans quel sens il devait aller, tu t'es retourné assez vite merci...

— C'est surtout Marie qui a la responsabilité du scénario. J'ai pas trop voulu intervenir.

— Patrice, en ce qui me concerne, tu te souviens que tu m'avais parlé de deux séquences, au plus sept ou huit répliques, un jeu d'enfant ! Pourtant, peu importe à quelle page j'ouvre votre maudit scénario, par hasard je m'y reconnais, à la lettre *O*. Tu te souviens de la lettre *O* au moins... Non ? Il semble que mon personnage ait pris beaucoup d'importance au cours des deux ou trois derniers jours, tu trouves pas ?

— C'est étrange... T'es certain de ça ? Marie m'avait pourtant dit que... tu sais, elle en a revu quelques détails avant de vous le faire parvenir. Pourtant, ce ne devait être que des changements mineurs et je t'assure que, dans la version que j'ai lue, ton personnage avait une importance très secondaire.

— De toute façon j'ai hâte de voir qui tu vas choisir pour ce rôle-là !

— Donc, tu refuses ?

— Je ne suis pas comédien, Patrice. Tu oublies que je ne suis qu'un bricoleur, un tout petit bricoleur. Tu ne te rappelles pas ? Raphaëlle disait que j'étais l'homme de l'ordre. J'aime ça quand les choses sont précises, nettes, rangées. Tu devrais savoir ça, il y a même un père-comptable dans votre scénario. Tiens, j'ai une bonne scène pour toi, un flash-back. Il va y avoir des flash-back dans ton film, non ? C'est toujours moderne, les flash-back. Alors voici : *O* se souvient du vingt-septième anniversaire de son père-comptable. Il se souvient très précisément des joues gonflées, des yeux ronds du père-comptable et des bougies sur le gâteau d'anniversaire. *O* a trois ans, mais *O* ne se rappelle tout cela que le jour de son propre vingt-septième anniversaire. Tu comprends ? Le souvenir dans le souvenir. Fascinante mise en abyme, tu trouves pas ? Et puis si Marie manque encore d'inspiration, elle pourrait très bien ajouter, comme en écho, une séquence sur la mort du père-comptable. Je suis certain que je pourrais lui donner des précisions très intéressantes sur la mort du père-comptable. Je pourrais même mettre une image très rapide mais très bouleversante dans ma bande-annonce : un gros plan sur les pieds bleus du père-comptable. Qu'est-ce que t'en dis, Patrice ?

— Je dois voir Marie tantôt. Il doit y avoir un malentendu. Je comprends vraiment pas ce qui a pu se passer. C'est sûr que l'idée de départ, c'était de faire coïncider quelques scènes des *Métamorphoses* avec notre petite histoire, mais là, j'ai l'impression qu'il y a quelque chose qui m'échappe.

— Mais c'est parfait, non ? T'as toujours dit que c'est cela qui donnait les meilleurs résultats, qu'il fallait que *ça échappe !* Tu te souviens, toi, ça t'échappait et moi, au montage, je faisais le ménage, j'essayais de remettre un peu d'ordre dans tout ça. Combien de fois les critiques ont parlé de *délire contrôlé* ou alors d'une *structure du chaos*? Je me rappelle qu'un jour quelqu'un a écrit qu'avec un tel talent tu arriverais même à *orchestrer l'abîme !* Eh bien, orchestre, mon Patrice ! Orchestre ! Quant à moi, je verrai plus tard ce que je peux faire pour la mélodie !

✦

Les trois jours suivants, je ne sors pas de chez moi. Je ne réponds pas à la porte, ne regarde même pas, par un discret bâillement du rideau, de qui, chaque fois, il peut bien s'agir. Je ferme complètement le volume du répondeur téléphonique et, après chaque appel, j'efface la bande, je l'efface deux fois pour qu'il en reste deux fois rien. Je laisse le courrier s'empiler près de la porte, à peine si je le pousse négligemment du pied, sans même y jeter un coup d'œil. Je marche beaucoup pendant ces trois jours. D'une pièce à l'autre, je marche. Je marche et je compte, cherchant le parcours idéal, celui qui me permettrait de traverser toutes les pièces un même nombre de fois et de revenir à mon point de départ en huit cent trois petites enjambées. Mais je ne crois toujours pas que cela suffirait à me protéger adéquatement du désordre qui s'installe. Je ne crois plus que cela me permettrait vraiment d'en réinventer la trame.

Chaque soir, étourdi d'avoir ainsi déambulé, je me laisse tomber dans mon seul fauteuil, le scénario d'une main, l'enveloppe de photographies de l'autre. J'en viens même à tout confondre, à m'imaginer que le scénario n'est qu'une autre longue lettre d'Italie, alors que les photographies ne devraient servir qu'à illustrer certaines scènes du film.

Cette septième photographie par exemple, que je regarde le premier soir. Une femme nue, de dos, encore de dos – pourquoi doivent-elles toutes partir ? – s'appuie au bord d'une fenêtre, seule sa tête se glisse dans l'entrebâillement du rideau, disparaît, guillotinée, de l'autre côté du monde. Je pourrais reconnaître ce corps, pourrais tout aussi bien ne pas me le rappeler. Ce pourrait être Raphaëlle et ce pourrait être Béatrice, et pourquoi pas Marie ? Non pas qu'elles se ressemblent, non plus qu'elles se confondent désormais dans mon esprit, mais ce pourrait être la seule femme du monde ainsi décapitée en douceur à sa fenêtre, la ligne des vertèbres joliment brisée, les fesses presque ouvertes sur deux jambes à peine écartées, mais exagérément tendues, pointées même, projetant tout le corps vers l'avant, vers la rue, vers d'autres hommes qui n'en verront jamais que la tête, prête à tomber dans leurs mains étonnées.

Sourit-elle alors? Je veux, ce premier soir, croire qu'elle sourit, cette femme, de l'autre côté du rideau, qui qu'elle soit, où qu'elle soit. Je ne peux ni ne veux m'imaginer le regard vide ou alors la bouche trop ouverte sur un cri qui lui est refusé. Je pense même : *Si jamais cette femme hurle, je me tue.*

Je m'endors. Peut-être juste avant qu'elle ne crie, peut-être juste avant qu'elle ne referme les lèvres et baisse un peu plus la tête. Mais même si je ne dormais pas, et même si elle baissait justement la tête – ce qui est loin d'être sûr –, il ne faudrait surtout pas que j'y voie une forme de soumission, ni même d'abdication. Cette femme, qu'il s'agisse de celle qui m'a quitté, de Béatrice ou de Marie, n'est pas de celles qui abandonnent. Cette femme est la femme de la septième photographie. Cette femme n'est peut-être personne d'autre que celle de la septième photographie.

C'est sans doute ce dont je veux me convaincre lorsque, dans mon sommeil, lentement, sans aucune violence, je ferme la main sur cette image. Je n'en entends même pas le froissement. Mais tantôt, à peine éveillé, je me risquerai à en lire les lignes, les plis. Peut-être est-ce qu'il ne s'agira encore que de comprendre, de mettre de l'ordre, jusque-là.

✦

— Tu me refais le coup une seule fois et je te promets que je te castre ! Est-ce que c'est clair ? Trois jours ! Je t'ai laissé vingt-quatre messages. Je suis venue jusqu'à ta porte sept fois. J'ai crié, puis murmuré, puis encore crié ton nom, même par la fente pour le courrier ! Ton voisin de gauche m'a menacée du 9-1-1. Heureusement, celui de droite m'a plutôt offert un café et m'a assuré que t'étais là et vivant en plus, il avait entendu ta chasse d'eau. *Good*, que je lui ai dit, *qui chie, vit.* Il a eu l'air un peu surpris, je lui ai dit que c'était un proverbe grec, d'un dénommé Ovide. *Ah oui*, qu'il me répond, *La Famille Plouffe*... J'ai pas fini son café, mais j'étais quand même mauditement contente tout à coup que ton bol de toilette coïncide parfaitement avec sa tête de lit. Je voyais là *un signe,* comme tu dirais... *La Famille Plouffe*... Le crétin ! Finalement, je pense que j'aurais encore aimé mieux que l'autre imbécile compose le 9-1-1 !

Si je ne savais pas déjà que Béatrice ne joue jamais, c'est certain que j'applaudirais. Elle sue. Ses longs cheveux couettés bougent à peine bien qu'elle agite nerveusement la tête ; on dirait une perruque qui aurait macéré quelques jours dans un mauvais fixatif. Ses vêtements noirs sont sales, gris plutôt maintenant, de la cendre ou de la terre en longues traînées sur sa robe, une couture défaite sous le bras gauche dont la main brandit une liasse de feuilles qu'elle semble subitement apercevoir comme si quelque prestidigitateur les lui avait, à son insu, glissées entre les doigts au plus fort de sa tirade.

— Et puis ça ! T'as lu ça au moins ? Dire qu'ils osent appeler ça un scénario ! Si c'est ce qu'ils avaient en tête, il aurait mieux valu qu'ils m'en parlent, j'aurais pu leur donner quelques petites précisions utiles sur ma façon de boire, de manger, de faire l'amour et pourquoi pas de pisser ! T'as vu cette scène où je pisse ? Debout ! Dans un urinoir de taverne ! Bien, je vais te dire une chose : la position du corps qu'ils y décrivent est tout à fait débile. Les genoux doivent être davantage pliés et les reins bien plus cambrés, sinon tu peux dire adieu à tes espadrilles !

— C'est bizarre, je ne me souviens plus du tout de cette scène-là.

— Moi qui croyais que tu t'étais cloîtré pendant trois jours pour mieux pouvoir méditer le grand œuvre !

— J'ai surtout marché, tu sais...

— Marché ? Oui bien sûr : un trente kilomètres style libre dans ton cinq et demi ? Enfin, j'espère que t'as retrouvé la forme, tu me parais un peu pâle pourtant.

— Je n'ai découvert le parcours idéal que ce matin, juste avant que t'essaies de fracasser la porte-fenêtre de la cuisine.

— Je frappais, simplement. Un peu fort peut-être, je te l'accorde.

Elle s'assoit, enfin, jure à voix basse, s'éventant distraitement avec sa copie du scénario. Elle contemple sans émotion le désordre de la pièce. De longues ficelles, bien droites, fixées ici et là au plancher, dessinent sur le sol un tracé dont elle devine aussitôt l'utilité.

— Ça te suffit plus de jouer au Chaperon rouge, faut en plus que tu te prennes pour le Petit Poucet ! Alors, t'as retrouvé ton chemin au moins ?

— Pas évident, vraiment pas évident.

— En tout cas, ce qui est évident, c'est que Patrice m'a convaincue de participer à son film en me disant qu'il s'agissait d'un tout petit rôle, que ça allait l'aider à vendre l'idée aux producteurs. Et voilà que je me retrouve premier rôle, star à plein temps de ma propre vie !

— Je me trompe peut-être, mais je pense que je peux t'expliquer.

Je me dirige vers la salle de travail, suivant scrupuleusement les étroites lignes blanches. J'en reviens aussitôt, par le même chemin, un petit paquet de feuilles à la main et les lui tend, souriant.

— Lis, c'est *ma* copie du scénario.

Elle en regarde le titre, étonnée, veut me dire quelque chose, mais, d'un geste à peine perceptible, je l'interromps.

— Non, lis d'abord. Je vais faire un peu d'ordre en attendant. Quelqu'un pourrait bien se prendre les pieds dans toutes ces ficelles. Puis, je connais pas trop mal le chemin maintenant, je m'y retrouverai sans doute tout seul.

✦

Je tire vers moi la première petite corde qui se détache du parquet avec le même désagréable chuintement que fait le rabat autocollant de l'enveloppe de photographies. Je l'enroule méthodiquement autour de deux doigts de la main droite. Je vais ainsi d'une pièce à l'autre, refaisant tout le trajet, me murmurant des nombres.

Ma route s'achève juste devant la table de travail. Béatrice, que je vois par l'entrebâillement de la porte, penchée sur ses feuilles, lit avec l'attention de celle qui cherche à la fois l'erreur et la solution. Puis, je l'entends rire doucement et devine qu'elle croit avoir tout compris.

Elle projette la tête vers l'arrière et ses cheveux, tantôt emmêlés, paraissent tout à coup, à cause de la lumière sans doute, magiquement se délier en lui retombant souplement sur les épaules. Mais ce n'est bien sûr que l'angle de la lumière qui crée cette illusion. Elle se penche à nouveau vers le texte. Je sais qu'elle va maintenant vouloir tout lire, et je la laisse plus seule encore, repoussant silencieusement la porte de la petite pièce. Puis je m'assois devant la table encombrée.

Je glisse alors une main distraite dans ce fouillis, j'y regarde si peu qu'on croirait voir l'animateur d'un quiz à la recherche de la lettre gagnante. D'un geste sûr, un peu brusque peut-être, j'en retire l'enveloppe de photographies.

Cette huitième photographie m'étonne et m'irrite. Je voulais un corps. Je voulais du corps. Son corps à elle, cette fois tout à fait reconnaissable, ou même le corps de l'autre homme, mais de face, enfin avoué. Et je n'y vois qu'une barque, une gondole sans doute si je me fie au reflet des façades brouillées dans l'eau qui la porte. Une gondole, pire encore, une gondole cachée, dissimulée sous une bâche qui la recouvre totalement, en épouse parfaitement les formes, à tel point qu'il est toujours possible, malgré tout, de se dire, la regardant : *Tiens, une gondole!*

La huitième photographie ne me donne qu'une gondole enveloppée, enrobée. Je souhaitais un corps et la huitième photographie ne m'en suggère que le linceul et peut-être même la sépulture, car il pourrait, c'est certain, y avoir un corps couché au fond de cette barque. Le drapé de la toile n'en laisse rien deviner, mais il pourrait bel et bien y avoir un corps au fond de cette barque italienne.

Je suis à ce point troublé par cette barque que je ne vois pas tout de suite qu'à sa façon cette gondole est impossible. Moi, l'homme de l'ordre, je ne me demande même pas comment cette barque vénitienne a pu être photographiée avec mon propre appareil, il y a sans doute près de trois ans!

Pour l'homme de l'ordre, cette image ne constitue qu'un élément de plus dans la petite histoire que Raphaëlle se risque, de si loin, à lui raconter.

✦

— On croirait que la barque est verticale, debout d'une certaine façon. C'est une très belle photo. T'es déjà allé à Venise?

Je ne l'ai pas entendue approcher derrière moi. À peine si j'ai senti les deux mains de Béatrice sur mes épaules. Tout juste si je distingue maintenant sa voix.

— Non, enfin... je ne crois pas.

— Tu ne crois pas ?

— C'est une blague, Béatrice. Tu sais : u-ne blague, blague, humour, plaisanterie. Non, je ne suis jamais allé à Venise. Et toi, est-ce que tu pisses encore debout dans toutes les tavernes du quartier ?

Elle m'ébouriffe les cheveux et laisse tomber son scénario sur la photographie de la barque morte. Elle contourne le bureau, de façon à me faire exactement face, s'y appuie d'une main en ployant le dos, et de l'autre m'oriente le faisceau de la lampe articulée en pleine figure.

— Maintenant tu vas parler, ordure : ta copie du scénario s'intitule bien *Nous mentons tous* ?

— C'est la vérité, toute la vérité, rien que la vérité, mais dorénavant, je ne parlerai qu'en présence de mon avocat !

— Bien, imagine-toi donc que la mienne s'intitule *Il faut croire les dormeurs !*

— Joli titre, tu trouves pas ?

— Très poétique ! Mais deux titres pour le même film, ça te semble pas un peu excessif?

— Peut-être, mais tu oublies un détail : ce n'est pas le même film, mais alors, pas du tout le même film !

— Je te remercie, mais j'avais remarqué. Alors, où est-ce qu'il veut en venir au juste ?

— Qui donc, *il?*

— Trois syllabes : mon premier est synonyme – avec deux i grec – d'enjambée, mon second signifie l'action de trier, mon troisième est un adjectif démonstratif du masculin singulier, mon tout est un prénom, sans i grec...

— Patrice n'a rien à voir là-dedans. Enfin presque rien...

— Alors ?

— Tu veux des indices ? Deux syllabes – avec un seul i grec : mon premier est un adjectif possessif au féminin singulier, mon second est une céréale, mon tout...

— Non, ça va ! Laisse tomber. Mais pourquoi a-t-elle fait ça ?

Béatrice n'a pas bougé. C'est moi maintenant qui passe derrière elle, alors qu'elle garde le regard fixé sur la chaise que je viens de quitter.

Je la cercle des deux bras, posant mon front contre sa nuque.

— Pourquoi ? Pourquoi a-t-elle imaginé tout ça ?

— Je crois que c'est pour désobéir. Tout simplement pour désobéir. Finalement, on devrait plutôt fêter ça ! Non, mais est-ce que tu te rends compte, Béatrice ? Marie, enfin, s'est décidée à désobéir !

— Fêter ? T'es sûr de ça ?

— Sûr sûr. Viens.

✦

Au matin, juste avant de s'éveiller, Béatrice ne rit pas. Ce n'est sans doute pas que ce jour-là elle a moins à oublier : Béatrice ne rit pas parce que la peur, peut-être, est trop grande. Béatrice ne rit pas, donc Béatrice, cette fois, se souvient et le rêve, si compliqué soit-il, ne semble vouloir lui dire qu'une seule chose : *Il faut bien, un jour ou l'autre, désobéir aux morts.*

Elle me touche très doucement l'épaule. Je l'écoute bien qu'elle ne me parle pas vraiment.

— Je pense que je comprends. Quand tu as dit *désobéir*, à propos de Marie, j'ai pensé que tu faisais allusion à Patrice ou peut-être à nous tous. Mais cette nuit j'ai rêvé à un cyclope. Tu te rends compte, j'ai rêvé à un cyclope – pas très élégant, l'individu –, et pourtant je me souviens de tout, dans les moindres détails : les sabots, le poil fauve, l'œil immense cerclé de rouge, l'odeur même. Oui, je me souviens même de l'odeur du cyclope. Alors, je me suis dit, voilà, tout est clair, c'est au cyclope que Marie a décidé de désobéir. Comment s'appelait-il donc ?

— Polyphème, avec un i grec !

— Qu'est-ce que tu racontes ?

— Ton cyclope, celui dont Ulysse crève l'œil avec un immense pieu qui ressemble à un crayon bien aiguisé, il se prénommait Polyphème. Joli, non ? Tu pourrais y penser pour ton premier fils.

— Dors, sombre imbécile !

✦

Marie l'avait connu à cet âge où tout est permis, mais où rien n'est vraiment possible. Je me souviens très bien qu'il s'appelait Alain P. et qu'il était sculpteur. Ses œuvres de métal laissaient clairement voir les coups répétés des outils, les brûlures de la forge et les soudures que l'on aurait pu croire volontairement maladroites. Alain P. pratiquait un *art brut*, un *art sincère*, comme il aimait lui-même à le qualifier. Je crois que j'aimais beaucoup Alain P., même si je l'ai tout compte fait assez peu connu.

Alain P. ne mentait jamais ; non, jamais il ne mentait, non plus qu'il ne supportait le mensonge chez les autres. Il ne semblait pas remarquer la laideur de Marie, mais la traquait sans arrêt, à la recherche de la moindre dissimulation, de la plus petite imprécision. Car selon lui, il n'existait pas de légères trahisons, le mensonge banal, même le plus anodin n'étant que la promesse d'un très prochain désastre. Il répétait sans cesse que le mensonge n'était admissible que dans la conversation et la diction des monstres, de ceux qu'il appelait « les monstres ». Nous n'avons jamais très bien su de qui précisément il voulait parler.

À sa façon, Alain P. était un homme de l'ordre. Aussi, le jour où il s'est logé une balle entre les deux yeux, il avait sans doute prévu que la chute du corps sur le lit n'allait laisser qu'une seule tache au centre du drap. Il donnait ainsi à Marie la chance d'y lire les lignes du drame, d'en interpréter les traces comme autant de sillons au creux d'une main géante.

Lui avait-elle menti ce jour-là ? S'était-il imaginé qu'elle lui avait caché quelque chose, ou alors avait-il lui-même finalement failli et cédé au mensonge ? Marie n'y reconnut absolument rien : qu'une large tache de sang, épais, chaud encore lorsqu'elle l'avait découvert en rentrant du travail.

Et ce seul œil désormais, en plein centre du front, ce seul œil ouvert, cerclé de rouge.

Il lui avait fallu plus de dix ans pour enfin désobéir au mort, plus de dix ans pour se résoudre enfin à joyeusement mentir, à son tour.

CHAPITRE 2

Quand je sors, au tout petit matin, il me semble que le monde n'est que l'image d'une scène qu'il me serait jadis arrivé d'oublier et que j'aurais décidé, ce jour-là, de redisposer, avec patience et méthode : redisposer la rue et le parc, les bancs et l'allée de gravier, quelques enfants bruyants, deux ou trois odeurs plus familières et même le ciel avec les nuages qu'il faut, puis, enfin, le lourd édifice de la bibliothèque que l'on ne peut pourtant que deviner, là-bas, huit cent trois enjambées plus loin. Je pense aux huit cent trois enjambées, mais n'ai pas du tout l'intention de vérifier, ce matin-là. Car je sais, même de si loin, que la mesure est exacte, immuable désormais, et que chaque fois la bonne cadence guidera mes pas.

Je choisis donc une autre direction, vers l'ouest, imaginant Béatrice encore au lit, pensant et repensant à son rêve de cyclope. Je sais, à cet instant précis où je me rappelle Béatrice, que le réel à ce moment-là la blesse ; le réel la blesse, mais au moins c'est le réel, enfin, qui l'emporte, comme une avancée tranquille dans tout son corps, une respiration, une déroute presque heureuse, comme si de s'être enfin souvenue de ce seul rêve lui permettait la douleur, mais aussi l'orgueil de la douleur comprise et calmement consentie.

Je crois bien que dorénavant elle ne rêvera plus en pure perte. Elle dormait jusque-là comme quelqu'un qui en vain attend un mot d'ordre, un seul mot de l'autre ; le cyclope le lui a enfin soufflé au visage, et ce mot, quel qu'il soit, a retenti comme une déclaration. Je ne doute pas qu'elle s'en rappelle même l'odeur, agréablement fétide, une odeur de colle et d'acide ; elle se souvient aussi bien de l'œil et de cette impression, regardant cet œil et son pourtour gonflé, de le toucher, oh très délicatement, à travers un gant.

Béatrice est nue, cela aussi je le sais, marchant vers l'ouest. Il y a, heureusement, quelques nouvelles certitudes. Il y a, ce matin-là, un réconfort, peut-être même jusque dans le mensonge.

✦

Je ne comprends pas trop pourquoi Marie a choisi précisément cette façon de désobéir. Je ne peux m'empêcher pourtant de sourire, me demandant combien de copies différentes du scénario elle a bien pu rédiger. Quant à savoir comment elle a pu apprendre tout cela, j'aime autant ne pas trop y penser. Je sais que tout ce qui s'y trouve est vrai, je sais que son seul mensonge, que sa seule désobéissance finalement est dans cette différence qu'elle nous impose d'une copie à l'autre, mais que disant à chacun sa plus stricte vérité, elle n'en ment à tous que davantage. Ne s'agit-il pas là de la désobéissance absolue qui rend méconnaissables le vrai et le faux, qui se les partage et se les renvoie à l'infini ?

Je m'arrête à la petite librairie de la rue voisine. Mais je ne bouquine pas comme j'en ai l'habitude. Je ne sens pas les livres, n'en vérifie pas, du pouce, la qualité de la reliure ou du papier et me dirige immédiatement vers le rayon « Tourisme » où je saisis, sans même avoir à le chercher, un album sur Venise. J'achète un autre livre sur Venise, m'amusant de cette lointaine complicité, car, je n'en doute plus maintenant, elle ne s'est jamais rendue à Venise. Rome, Florence, Milan sans doute, peut-être Bologne ou Sienne, mais non, pas Venise. On ne fuit pas à Venise qui fuit elle-même de toute part et qu'il faut, chaque matin, du regard, recomposer. Elle ne pourrait, à Venise, avoir ce sourire tranquille et pacifié que je lui imagine à la lecture de chacune de ses lettres. Déjà trop de théâtre à Venise pour lui permettre d'organiser celui-ci, lettre après lettre.

— Un autre livre sur Venise ? Vous partez en voyage ?

— À Venise ? Non... non... C'est pour un film auquel je travaille. L'action se déroule surtout ici, mais l'un des personnages, une femme, se réfugie en Italie d'où elle écrit à deux hommes qui ne se connaissent pas. Elle leur fait croire qu'elle se trouve à Venise, alors qu'en réalité elle leur écrit de Rome, Florence ou Milan... vous comprenez ?

— Oui, je vois. Enfin, je crois. Et ça va s'intituler comment, votre film ?

— Le réalisateur et la scénariste hésitent encore entre cinq ou six titres. Vous savez, c'est une histoire un peu compliquée, pleine de flash-back et d'histoires parallèles, puis cela a un certain rapport avec les *Métamorphoses* d'Ovide, alors il faut qu'ils soient bien certains de leur coup.

— Oui, bien sûr. Et vous allez jouer dans ce film ?

— Moi ? non !... non... moi, c'est la bande-annonce. Je ne fais que la bande-annonce. Vous savez : *Prochainement sur cet écran !*, la musique trop forte et tout et tout ?

— Devinez quoi ? J'adore les bandes-annonces ! J'en regarderais pendant des heures. Vous ne trouvez pas qu'elles sont parfois bien plus intéressantes que les films eux-mêmes ?

Je me contente de lui sourire d'un air faussement entendu, paie le livre et sors en me disant : *Tiens, il faudra que je pense à dire à Marie d'ajouter une libraire amateure de bandes-annonces dans ma version du scénario.*

Mais au même moment, je ne peux m'empêcher de me demander si Marie a aussi écrit le scénario de Raphaëlle. Le lui a-t-elle fait parvenir ? Et où donc ? Le garde-t-elle pour son retour ? Aurait-elle, bien mieux que moi, compris les raisons de ce départ précipité ? Je sais pourtant qu'il serait inutile d'en parler à Marie, que tout cela ne la regarde pas vraiment, que je ne la questionnerai même pas sur toute cette mascarade, cette confusion des scénarios personnalisés. Marie n'est pas quelqu'un à qui on penserait reprocher quoi que ce soit, ni ses silences ni ses absences, non plus que ses étranges obsessions.

Ainsi, après la mort d'Alain P., s'était-elle mise à consulter, chaque jour, minutieusement, la rubrique nécrologique de tous les quotidiens de la ville. Tous les jours, à la première heure, d'un doigt fébrile, elle parcourait les trois ou quatre colonnes de petites notices, s'attardant tout particulièrement à celles qui n'étaient pas accompagnées de photographie.

Elle disait qu'elle avait appris ce rituel de sa grand-mère, Alice, l'une des trois femmes qui habitaient la maison de son enfance. Alice n'oubliait jamais une seule journée ; elle disait d'ailleurs :

— On sait pas, suffirait de passer un seul matin, pour rater, ce jour-là, le bon mort !

Marie n'avait jamais vraiment saisi ce qu'Alice voulait dire par *rater le bon mort*. Elle comprenait qu'il ne s'agissait pas nécessairement de quelqu'un de la famille ou même d'une vague connaissance. Elle savait aussi que ce pouvait être un parfait inconnu et que c'était peut-être bien davantage celui-là qu'elle ne devait, sous aucun prétexte, *rater*.

Alice, bien sûr, était un peu folle. Ne menaçait-elle pas ses petits-enfants et tous les enfants du quartier, et ce, à la moindre occasion, lors de la plus insignifiante désobéissance, de leur montrer, ultime châtiment, *ses deux grosses fesses noires* ? Ne se frappait-elle pas le bas des jambes à grands coups d'annuaire téléphonique afin de redresser, disait-elle, *ses petites pattes de cow-boy ?* Un peu folle, Alice, Marie elle-même n'en doutait pas. Pourtant, depuis la mort du cyclope, elle se conformait aux règles du petit jeu d'Alice.

Aussi reste-t-elle persuadée qu'au cours des dix dernières années, aucune mort importante, aucune mort qui aurait pu de quelque façon la concerner, ne lui a échappé. Jean-Pierre un jour lui avait dit :

— Ce qui est rassurant avec toi, Marie, c'est qu'on est certain de pas passer à côté de notre propre mort ; si, par malheur, ce jour-là, on est un peu trop distrait, pas de problème : tu nous téléphones dès le lendemain matin pour nous annoncer la bonne nouvelle !

Marie avait souri et murmuré : *Psychopompe... Marie-la-psychopompe...* Et devant l'air ahuri de Jean-Pierre, elle lui avait expliqué :

— *Psychopompe*, conducteur des âmes, une espèce d'Opération Nez Rouge pour l'aura, mais avec un i grec, Jean-Pierre, toujours très important le i grec, surtout pour le psychopompe !

✦

Au lendemain des funérailles d'Alain P., Béatrice, pour la consoler, avait dit à Marie :

— Voilà, voilà, c'est terminé, maintenant tu dois penser à toi, rien qu'à toi, refaire tes forces, oublier même si tu peux.

Marie l'avait embrassée, un peu comme si c'était elle la consolatrice, et lui avait murmuré à l'oreille, pour elle seule :

— Mais non, tu te trompes, il n'y a rien de fini,

bien au contraire... je crois que sa mort ne fait que commencer!

✦

Tous ces scénarios en sont peut-être la preuve. Il y a des êtres qui n'en finissent pas de mourir. Pour Marie, Alain P. n'en finit pas de mourir. N'en est-il pas ainsi de cet enfant-mort-né auquel je ne pense pourtant presque plus jamais? Nous ne nous étions même pas entendus encore sur le nom à lui donner. Nous hésitions toujours, la veille même de l'accouchement, entre une dizaine de prénoms qui nous plaisaient tous autant. Nous en riions, imaginant l'interminable nom composé dont cela l'accablerait, Raphaëlle proposant plutôt – *simplement*, précisait-elle – de le rebaptiser chaque année, le jour de son anniversaire, alors que je privilégiais plutôt la méthode millénairement éprouvée du hasard. Elle s'indignait alors faussement :

— Joli, très joli! Tu voudrais faire de ton enfant l'enfant du hasard, du vingt-cinq cennes lancé, l'enfant du pareil-pas-pareil peut-être? Tu pourrais louer un boulier tant qu'à y être, vendre des billets! *Devinez le nom de notre enfant et descendez une semaine en Floride!*

Nous nous sommes même souvent demandé si le fou rire qui s'en était suivi n'avait pas provoqué les premières contractions.

— Je pense qu'on est peut-être mieux d'attendre de voir à quoi ça ressemble avant de nous décider. De toute façon, ce ne sera plus très long maintenant...

Cela ressemblait à un enfant-mort. Mais cela n'aurait jamais de nom que multiple, noms de garçons et noms de filles, sans cesse énumérés pendant les longs mois qui avaient précédé l'accouchement.

Dans notre tête pourtant, cela n'en finirait plus maintenant de mourir, de naître et de mourir, tous ces enfants naîtraient et n'en mourraient que chaque jour davantage, malgré le temps et malgré une certaine forme d'oubli. Car nous avions assez vite compris que l'on arrivait parfois à oublier, sans que cela ait quoi que ce soit de la mémoire perdue.

Je pense souvent à ce jouet, ce jouet qui était le préféré de mon enfance : le *bloc magique*, cette mince tablette de cire recouverte d'une fine pellicule translucide. Il suffisait d'y appuyer, d'y écrire ou d'y dessiner avec un stylet de bois effilé pour que la paraffine révèle tout. Comme il ne fallait que relever la feuille magique pour que tout s'y efface en un mystérieux chuintement, ne laissant qu'une trace presque imperceptible dans la cire, rouge le plus souvent. Cela disparaissait, mais cela ne s'en inscrivait pas moins chaque fois un peu plus, s'ajoutant à toutes ces lignes déjà laissées là par la main impatiente de l'enfant que j'ai bien dû être, toutes ces traces s'entrecroisant aux endroits les plus inattendus, recréant des formes nouvelles et imprévues, inventant des réseaux illisibles, plus troublants encore que les figures désormais dérobées.

Nous avons appris, pendant toutes ces années, à très souvent relever la fine feuille, n'en laissant pas moins notre doigt tendrement effleurer la page marquée par la mort de l'enfant-mort. Nous n'y reconnaissions pas toujours exactement notre douleur, mais un jour nous avons désespéré d'y retrouver le seul nom authentique de l'enfant-mort.

✦

Ce matin-là, la terre bouge dans ma tête. Toute la terre, avec une netteté et une harmonie qui ne sont pas sans m'étonner. Jusqu'au poids du livre sur Venise que je viens d'acheter, là, au bout de mon bras, jusqu'à la mesure exacte de mon pas, à l'instant même, sans bruit sur le trottoir, comme si, du bout du pied, je poussais délicatement la planète derrière moi, moi-même immobile ainsi à en assurer la parfaite rotation à chaque enjambée silencieuse, ou alors comme si je parcourais la terre entière, y traçant des lignes et des figures légères.

Je suis alors sans orgueil, et pourtant, à ma façon, le centre du monde. Je sais que mon père-comptable m'aimait beaucoup, je sais que cette femme qui est partie m'aimait beaucoup, mais je sais tout aussi bien que l'amour ne peut pas toujours être l'ultime réparation, qu'il arrive que les gens qui nous aiment désertent, nous laissant aux prises avec tout cet amour qui nous paraît désormais inutile et pathétique. J'aimerais tant ce matin-là que le souvenir soit fidèle au bonheur, même quand la mémoire est douloureuse, même quand tant de promesses n'ont pas été tenues. Et je comprends, ce matin-là, qu'il peut cependant nous arriver de l'avoir réussi, cet amour-là, d'avoir réussi jusqu'à cet amour-là, malgré la mort, malgré l'absence ; et malgré la mémoire douloureuse.

Aussi ne suis-je pas vraiment étonné lorsque, tournant au coin de rue suivant, je constate que mes pas m'ont mené chez Marie. Je regarde la façade de cette petite maison qui, de cet angle précis, pourrait bien n'être qu'une façade justement, un simple décor précairement arc-bouté sur quelques planches. Il me faut en imaginer la profondeur, en inventer l'espace, les quatre pièces en enfilade, à gauche, à l'étage, la sobriété de l'ameublement et de la décoration, le plancher qui craque à chaque pas lorsque l'on avance lentement dans l'étroit corridor jusqu'à la petite cuisine où Marie, laide, toujours aussi laide, Marie, se berce et semble guetter, sereinement.

Mais ce qu'elle guette n'a pas vraiment d'importance, peut-être même s'agit-il de quelque événement qui déjà s'est produit, ou bien de quelqu'un qu'elle ne connaît pas et qui de toute façon jamais ne viendra. Non, elle guette, simplement, de la même manière qu'elle consulte, chaque matin, la rubrique nécrologique de tous les quotidiens de cette ville.

Mais ce matin-là, je ne regarde que la façade-façade, recréant tout le reste en une lente séquence – caméra subjective sans doute, presque stable pourtant sur l'épaule du technicien – se terminant sur un gros plan de Marie souriant sans malice. Puis, je poursuis ma route.

✦

À mon retour, une nouvelle lettre. Pas de date. Toujours de Venise. Description d'un café et de sa terrasse. Elle y parle banalement de la place Saint-Marc et des pigeons. Je croirais lire un texte d'agence touristique. Pourtant, tout ce qu'elle y décrit me rappelle étrangement la terrasse du café Rosati, à Rome. Elle ne nomme presque rien, mais ces deux petites églises pourraient bien être celles qui encadrent la Via Del Corso lorsqu'elle ouvre sur la Piazza Del Popolo ; ces passants dont elle parle évoquent davantage des Romains affairés que des touristes déambulant nonchalamment sur la Piazza San Marco ; jusqu'à ces longs arbres au loin qui n'ont rien à voir avec le paysage vénitien, mais évoquent plutôt les jardins de la villa Borghese que l'on peut tout de même apercevoir de la terrasse du Rosati.

Elle sait que je connais Rome parfaitement bien, pour y avoir travaillé à l'un des films de Patrice, que j'apprécie tout particulièrement cette partie de la ville où la plupart des scènes romaines du film avaient été tournées. Elle n'a pas oublié, n'a pas pu oublier que j'en avais fait le montage et que les critiques avaient dit du rythme que j'avais donné à l'ensemble qu'il *démasquait Rome tout en la défigurant.*

Je connais Rome et j'aime Rome. *On m'a dit,* m'écrit-elle en terminant, *que Venise, cette année, était méconnaissable. Qu'est-ce que tu en penses?* Je n'ose même plus, serait-ce pour moi seul, appeler cela un *jeu.*

Car tout cela n'ajoute rien désormais à la fuite, me ramène plutôt chaque fois un peu plus à moi-même. Chaque lettre, chaque photographie me rappellent à quel point il est illusoire de tout vouloir mettre en ordre, car il n'existe pas, c'est bien certain, bien que je l'aie cru très longtemps, de chiffre exact pour l'émotion.

Aussi, la neuvième photographie ne me surprend-elle pas vraiment. Une petite pierre blanche, une seule date y est gravée, une seule date pour toute une vie. Une seule date, illisible, sans même un nom. Il neigeait ce jour-là, mais la neige n'a rien à cacher. Nous n'avions pas eu le temps du nom, tout simplement. Pas de chiffre exact pour l'émotion, pas de chiffre exact pour la catastrophe.

✦

Il y a, faut-il croire, des phrases pour chaque heure du jour. Celles-là qui conviennent. Il suffit peut-être d'un imperceptible changement de la lumière ou de la qualité de l'air, d'une toute petite modification dans l'ordre du jour pour que tout à coup les mots ne soient plus tout à fait adéquats. Le commencement de la soirée, par exemple, en un début d'automne, amène des phrases bien particulières :

— Finalement, je n'aurai sans doute toujours été qu'un fils. Le jeune fils, le grand fils, le petit-fils, le fils éternel ! Je pense bien que, même à ma mort, la première chose qu'on pensera à dire de moi, c'est que j'aurai été un bon fils. Tu te rends compte, mon père est mort depuis plusieurs années et j'ai toujours l'impression que je suis avant tout *le fils du père-comptable.* Peut-être que si l'enfant avait vécu ? Mais est-ce que les fils éternels comme moi arrivent jamais à devenir vraiment des pères ? Remarque que je m'y fais assez bien et ça me donne, aux meilleurs jours, l'illusion de la jeunesse perpétuelle. Je me demande parfois si c'est pas ça qui l'a décidée à partir. À force de vivre avec un fils, on finit sans doute par se prendre pour sa mère. Alors imagine un peu : le véritable enfant meurt alors que le faux fils, lui, s'acharne ! *T'es bien le fils de ton père !* que ma mère disait. C'est tout à fait ça, encore aujourd'hui je suis avant tout *le fils de mon père.* Il comptait, donc je compte ; il calculait, donc je calcule ; il vérifiait, je vérifie ! Lui aussi, c'était un homme des petites choses, petits chiffres, petites colonnes, petites additions, petites opérations. Tu sais, c'est étrange d'avoir un père qui est un grand homme, mais un grand homme des petites choses. Alors, quand j'ai compris ce que Marie avait fait, je me suis dit : *Tiens tiens, c'est bien de ça qu'il s'agit : à chacun ses petites choses, ses petits événements, son petit bricolage.* Je me suis même imaginé que nous étions tous, chacun à notre manière, des enfants de père-comptable, que nous cherchions tous le bon chiffre, le nombre exact, l'opération parfaite, une sorte d'explication radicale et surtout réconfortante, tu sais bien, ce genre d'explication qui arriverait à tous nous rassurer, tous, même toi Patrice, parce que même toi finalement t'es rien d'autre qu'un grand garçon !

Je ne me rappelle pas avoir déjà vu Patrice ainsi détourner la tête ; je ne me souviens plus de l'avoir vu fuir, ne serait-ce que du regard, et tenter aussi vite de changer la conversation :

— Tu sais que Jean-Pierre est furieux ? Il pense même à laisser tomber le rôle.

— Furieux ?

— Contre Marie, bien sûr.

— Est-ce qu'on peut jamais vraiment être en colère contre Marie ? Si tu veux mon avis, Jean-Pierre est surtout furieux de n'avoir d'abord rien compris. Il a réussi à lire tout ça sans comprendre que l'histoire qu'il avait entre les mains ne parlait que de lui ! Alors quand Béatrice lui a expliqué tout le cirque, il s'en est un peu voulu de n'avoir été dérangé que par le peu de vraisemblance des personnages, par l'insouciance de Marie quant à *l'effet de réel* et par l'invraisemblance de la fin.

— Donc tu penses que...

— Imagine un peu, Patrice : je te raconte ta vie et non seulement tu n'y reconnais rien, mais en plus tu proclames, et bien fort à qui veut l'entendre, que tout cela n'a aucun sens, aucun intérêt et surtout que ça ferait finalement une bien mauvaise histoire !

— Oui, évidemment. Mais maintenant qu'est-ce qu'on fait... ?

— Qu'est-ce que tu veux dire ?

— Oui, qu'est-ce qu'on fait avec toutes ces histoires ? Ça donne pas un film tout ça !

— Eh bien c'est simple : on attend !

— On attend ? Mais quoi donc ?

— La dernière... la dernière histoire.

— La dernière histoire ?

— Bien sûr. La dernière, la vraie, la seule qui puisse devenir un film. C'est ça, Patrice, que tu le veuilles ou non : on n'a plus qu'à attendre que Marie nous donne la véritable histoire.

✦

Mais Marie l'a-t-elle écrite, cette version-là ? A-t-elle seulement jamais pensé à l'écrire, cette nouvelle et seule histoire ? Et *Les Métamorphoses ?* Et Ovide ? Étrangement, tout cela ne m'inquiète pas vraiment. Je suis bien plus intrigué par les prochaines lettres et par toutes ces photographies qu'il me reste encore à découvrir. Tout cela à reconstruire, une trame qui me prend, tout, mais qui me disperse tout autant, démembré désormais dans ma propre minuscule histoire ; tant de petites images à remettre en place. Et pour comprendre quoi au juste ? Le départ de Raphaëlle ? La raison de ses faux mensonges ? Le rôle réel du photographe-imaginaire ? Ou alors subitement celui de Béatrice dans ma vie, elle qui pourtant ne joue jamais ?

Je n'ai cependant pas l'impression de chercher des réponses, de tenter d'expliquer quoi que ce soit. Je ne veux simplement pas céder au désordre. *Tu laisses toujours tout en plan*, me répétait ma mère. Et il y avait eu, c'est vrai, la collection de timbres, puis les cours de guitare, de russe et de poterie, la natation, le yoga et, bien plus tard, deux ou trois débuts de romans. Je ne vais pas, cette fois, laisser tout en plan.

Je décide de retourner à la bibliothèque, ma copie du scénario roulée dans la poche de mon veston. Je sais que la jeune bibliothécaire me reconnaîtra dès que je pénétrerai dans la vaste salle de consultation, mais je suis tout de même étonné du malaise qu'elle laisse aussitôt paraître et qui manifestement ne fait que s'accroître à mesure que je m'approche d'elle.

— Il a disparu !

Je ne suis encore qu'à quelques mètres du comptoir qu'elle me le crie presque, malgré le ton du murmure et de la confidence retenue qu'elle croit naïvement maîtriser. Je lui souris bêtement, ne saisissant pas tout de suite l'allusion et elle s'impatiente presque de mon apparente indifférence.

— Votre exemplaire ! Ovide illustré par Picasso ! Le coffret bleu ! Disparu !

— Ah bon ! C'est embêtant...

— Je n'étais pas au comptoir ce jour-là, mais le lendemain, j'ai vu la fiche d'emprunt sur mon bureau, avec un petit mot de ma collègue disant que le livre n'avait pas été retourné.

— Mais les livres ne sont là que pour la consultation et avec la grosseur de l'objet ça m'étonnerait que quelqu'un ait réussi à...

— C'est bien ça le problème. Je ne crois pas que le livre ait été volé. Le livre, j'en suis à peu près certaine, est toujours ici. Le livre, votre exemplaire du livre, a simplement été caché !

— Caché... ?

— Mais oui ! Vous savez bien, on dissimule le livre dans l'un des rayons pour être sûr de l'avoir à sa disposition la fois suivante, ou pire pour empêcher quelqu'un d'autre de le consulter. Vous avez jamais fait ça, quand vous étiez étudiant ?

— Je ne me souviens pas, non.

— En tout cas, il semble bien que l'autre homme, lui, connaissait plutôt bien la technique...

— L'autre homme ?

— Ah oui, j'oubliais : la bibliothécaire qui me remplaçait ce jour-là se rappelle très bien qu'il s'agissait d'un homme, à peu près de votre âge d'après la description qu'elle m'en a faite, mais un peu plus grand que vous peut-être et les yeux bleus, très bleus.

— Et son nom ? S'il a rempli une fiche, il doit bien y avoir inscrit...

— Je ne devrais pas, c'est un renseignement confidentiel, mais tenez, vous arriverez peut-être à y lire quelque chose, moi je vous avoue que...

Elle me tend la petite carte que j'examine attentivement. La signature y est tout à fait illisible, et la fiche incomplète, ni adresse ni numéro de téléphone. Je la lui remets et m'étonne de la voir sourire, gênée pourtant.

— Vous devriez peut-être essayer votre truc ? Vous savez bien : le clignement des yeux... les changements de lumière. Comme avec vos photos, l'autre jour. Vous réussiriez peut-être à déchiffrer quelque chose, au moins un prénom...

Je ne sais trop si elle est sérieuse ou alors si elle se moque gentiment, mais je me contente de lui répondre d'un geste de la main plutôt imprécis.

— Vous croyez que vous allez le retrouver ?

— C'est certain ! Mais quand ? Vous avez vu tous ces livres, tous ces rayons auxquels le public a accès ! Il y a précisément cinq mille trois cent quatorze ouvrages de référence autour de ces salles. Alors, deviner où l'autre a bien pu le cacher... Entre deux livres ? Ou, pire, derrière un volume plus grand ?

— Cinq mille trois cent quatorze ?

— Exactement, en comptant les sept ouvrages acquis le mois dernier.

— C'est étrange, vous en parlez comme s'il vous arrivait de les compter, pour vérifier. Vous les comptez souvent ?

— Mais non ! C'est une drôle d'idée. Les compter ? C'est l'ordinateur, rien de plus simple, regardez, vous n'avez qu'à faire cette commande et...

Je m'éloigne du comptoir en reculant, les bras légèrement écartés du corps, un peu comme un comédien, à l'avant-scène, à l'instant précis des applaudissements, je souris même et hoche la tête deux ou trois fois avec une maladresse que je n'arrive pas à m'expliquer. Je me sens trop grand tout à coup. *Trop grand pour rien*, me dit souvent Patrice, à la blague.

Je suis embarrassé et c'est mon corps qui m'embarrasse, ce corps qui n'est plus une chose chaude et vivante, mais une sorte de poisson presque froid.

Je recule encore et il me semble, un bien bref instant, que je reculerai ainsi à jamais. Et tout à coup, pensant à Raphaëlle, pensant au photographe-imaginaire, je me sens le corps bien petit et bien mou. Je me sens le corps comme un tricot d'enfant.

✦

Je le revois aussitôt, de dos, sur la cinquième photographie. Un peu plus grand que moi, mais les épaules voûtées. Il pourrait pourtant tout aussi bien s'agir d'un parfait inconnu. Pourquoi donc dissimuler un livre que personne ne consulte jamais ? J'aurais préféré qu'on me dise qu'il s'agissait d'une femme. Je verrais très bien Marie dans ce rôle-là : celle qui révèle, puis celle qui cache, celle qui crée les énigmes. Ou même Béatrice qui s'est toujours inquiétée de mes petites manies et de mes obsessions, Béatrice qui ne cesse de me répéter, à propos de la moindre vétille : *Ça suffit, tu crois pas ?*

Mais elle a bel et bien parlé d'un homme, d'un autre homme, à la signature illisible, d'un homme qui ne s'intéresse pas seulement à la même œuvre mais à la même édition et qui s'y intéresse au point de se la réserver secrètement ou, mieux encore, au point de tout faire pour m'en priver. J'arrive mal à m'imaginer Patrice ou Jean-Pierre dans ce personnage trouble, un peu pervers.

Comme toujours, en revenant de la bibliothèque, je ne pense même pas à compter. Je traverse le parc d'un pas pourtant que je sais juste. Je m'invente alors un tout nouveau scénario. Et dans cette histoire, l'autre ne cache rien, l'autre ne veut rien dissimuler non plus que rien s'approprier, mais au contraire, c'est là sa façon de créer une intrigue et d'ainsi me faire signe, de me souffler : *Je suis là, tout près, je n'ai rien à faire du livre, je ne l'ai dérobé que pour que tu saches que je ne suis pas si imaginaire que tu le crois, c'est tout, ne cherche pas plus loin que ça, alors cesse de t'imaginer des choses, tant de choses, ne cherche plus le livre, trouve-moi plutôt!*

Donc, l'autre est là, l'autre existe et me le révèle, à sa manière, non pas en se démasquant, mais en se laissant deviner derrière le livre volé. Non seulement l'autre est-il là, l'autre s'approche, s'avance, me touche presque, me murmure les règles du jeu. Je me demande même si l'autre n'était pas là tantôt, assis à une table, à moitié caché derrière un livre, m'observant en train de me diriger vers le comptoir, assistant à toute la scène jusqu'à ma sortie maladroite, titubante. Souriait-il alors de mon désarroi ou partageait-il, à sa façon, cette détresse soudaine? Car il doit bien savoir, lui aussi, que le livre qui manque, que la femme qui manque sont du même ordre que la soif et la faim.

Je me rappelle, à ce moment-là, la couleur des yeux de Raphaëlle : thé vert, faible. Et ils nous sourient, parfaitement.

✦

Je dois maintenant faire un effort pour ne regarder qu'une seule photographie à la fois. Je veux encore croire qu'il y a là une réponse, aussi bien qu'une confidence.

La dixième photographie est mal cadrée, la mise au point en est aussi étrangement mal réglée, le sujet est hors-champ et même un peu à contre-jour. Beaucoup d'erreurs pour une seule photographie, tant de maladresses que je pourrais penser que j'en suis l'auteur. Pourtant je n'y crois plus. Je sais désormais que je n'ai pris aucune de ces photographies, sauf les trois dernières. J'ai aussi compris que ce n'est qu'un hasard si j'ai retrouvé le vieux Pentax avant qu'elle ne m'en rappelle elle-même l'existence dans sa lettre du neuf. Mais croyait-elle alors que cela suffirait pour que je cherche à la retrouver ? Savait-elle à coup sûr que j'y découvrirais la pellicule et oserais la faire développer ? S'est-elle même seulement imaginé ce que je pourrais penser de ces photos qu'elle n'a bien sûr quant à elle jamais vues ? Se les figurait-elle à ce point faussement ratées, si peu lisibles parfois mais toujours aussi éloquentes que l'aveu le plus brutal ou que le plus inattendu des mensonges ?

Je n'ose même plus me risquer à comprendre. Il y a une histoire qui est racontée, il n'y a peut-être plus désormais qu'à me la laisser doucement murmurer.

Raphaëlle, malgré toutes les imprécisions de la dixième photographie, y est nue. Mal cadrée, floue, hors-champ, à contre-jour, mais nue. Cela ne fait plus aucun doute, cette photo a été prise il y a près de trois ans. Je me souviens qu'elle venait tout juste de changer sa coiffure, plus courte, la teinte aussi, *chianti*, et la raie, au centre désormais. Je me souviens aussi qu'elle avait dû aller quelques semaines en Europe pour couvrir deux colloques sur les femmes et la santé, Allemagne et Italie. Sa série d'articles avait remporté plusieurs prix; les photographies y étaient magnifiques, mais je n'arrive plus à me souvenir du photographe qui alors l'accompagnait.

Je dois sortir, marcher, compter un peu peut-être. J'enfile mon veston, un peu brusquement, entends le léger bruit au fond d'une poche, y plonge, distrait, la main, en retire la petite boîte jaune et noire : *Gratuit avec tout développement d'une pellicule dans l'un de nos laboratoires.* Je saisis l'appareil qui traîne, depuis quand, sur la table de travail et y place le rouleau d'une main étonnamment assurée, experte même, une bête autonome au bout du bras, une bête aux doigts agiles et volontaires. Je referme le boîtier, replace l'appareil dans son étui, me le glisse à l'épaule et calcule onze enjambées jusqu'à la porte. La journée, tout compte fait, ne sera peut-être pas si mauvaise.

Troisième partie

LA MARCHE DE L'AVEUGLE SANS SON CHIEN

CHAPITRE 1

Cette fois, il n'entre pas. Il s'installe le plus confortablement possible, jambes en tailleur, sur l'un des deux piliers de ciment qui encadrent le large escalier menant à la lourde porte de l'entrée principale. Il place le Pentax dans le creux que forment ses deux mollets croisés ; il attend, hiératique, il étonne, surprend, on le regarde comme une énigme, on murmure tout près, mais personne n'ose lui parler et pourtant il aurait tant à dire. On le craint presque, tant il est immobile, à tel point il attend, à tel point il trône.

Quant à lui, il ne remarque rien. Il n'a nullement conscience de la curiosité qu'il suscite. Il ne porte attention qu'à ceux qui entrent et sortent de la bibliothèque. Les hommes, seulement les hommes. À peine plus grands que lui, mais les épaules doucement voûtées et les cheveux juste plus blanchis. Mais il doit choisir, car tous tout à coup lui semblent à peine plus grands, doucement voûtés et juste blanchis : il n'a que vingt-quatre poses dans le vieux Pentax. Et puis, il les veut de dos, il les veut s'éloignant, un peu plus et il leur demanderait de lever le bras droit et de briser le coude à angle exact, l'index pointant vers le ciel. Ceux qui sortent de la bibliothèque lui offrent une cible parfaite, ceux qui entrent l'obligent à une rapide et inconfortable torsion du tronc s'il veut les saisir avant que la lourde porte ne se referme sur eux. On le regarde et on murmure. Non pas ceux qu'il photographie et qui, le plus souvent, ne se rendent compte de rien, mais les autres, tous ces autres qui l'observent, le jugent et déjà le condamnent d'ainsi voler des images inconnues. C'est tout juste si certains ne se précipitent pas vers ses victimes pour leur crier : *Attention ! Attention, monsieur, il vous photographie, et dans le dos à part ça !*

À l'heure de fermeture de la bibliothèque, il ne lui reste qu'une prise. Il ne se retourne plus. Il entend un échange de salutations polies, puis le bruit de la lourde porte qui se referme et du robuste verrou que tire aussitôt l'employé de service. L'homme alors passe à sa gauche, le touche presque de la hanche, descend le large escalier, s'arrête au bord du trottoir et dans un geste qu'on croirait ralenti, lève le bras, brise le coude à angle droit et pointe l'index vers le ciel. Il a à peine le temps de prendre les données nécessaires qu'un taxi s'arrête devant l'homme qui s'y engouffre et dont il jurerait, à l'exact instant du déclic, avoir deviné le sourire complice.

✦

— En double, grand format, fini glacé.

— La promotion est terminée, c'est maintenant quatre dollars pour le deuxième jeu.

— Aucune importance.

— Vous voulez ça pour quand ?

— Le plus tôt possible.

— Je croyais pourtant que vous...

— Je déteste toujours les photographies. C'est peut-être justement pour ça que c'est si urgent !

— D'accord. Demain... vers la fin de l'après-midi.

— Bien. N'oubliez pas le coupon pour l'agrandissement gratuit, je suis certain que ça fera joli, dans un cadre. Très joli même.

✦

C'est l'odeur d'abord qui le frappe ; une odeur, il ne saurait dire pourquoi, qui le met en colère, l'odeur du désordre, des petits coins secrets et des petits coins de corps, du fruit très longtemps oublié et du potage qui, dans son contenant hermétique, se transforme en champ d'avoine. Il referme la porte sans bruit derrière lui, comme s'il y avait dans ce mélange fétide de relents quelque chose qu'il devait à tout prix surprendre, surprendre puis abattre.

Il enjambe livres, vêtements, meubles déplacés et parvient, non sans peine, à se rendre dans la petite pièce qui lui sert de salle de travail. L'odeur lui paraît plus forte encore, urine et névrose, acide et colle, quelque chose entre le capiteux et l'amer, une odeur multiple hésitant entre le poids de l'été qui s'achève et les lourdes pluies de l'automne qui se prépare. Et il ne peut alors s'empêcher de penser que cette neige fragile et éphémère qu'il a, dès l'aube, surprise l'autre matin n'était somme toute qu'une neige d'été, que la neige impossible d'une impossible histoire où chaque saison ne serait tout compte fait qu'un mensonge de plus, qu'un mensonge de plaisir. Raphaëlle lui ment, Marie lui ment, la neige lui ment. Il repense au titre de sa version du scénario, il sourit. Décidément, ils mentent tous.

L'odeur est à ce point intense qu'il entend à peine le bruit sourd de la lettre qui tombe par la fente étroite de la porte. *Le mensonge du jour*, murmure-t-il, la saisissant entre deux doigts, *mince mensonge*, ajoute-t-il, croyant tout à coup ne tenir qu'une enveloppe vide.

Un seul feuillet, mais une date, crédible cette fois, *Jeudi, 18 septembre*, et son prénom à lui, un peu plus bas, à gauche.

Je crois bien quitter Venise d'ici quelques jours. Il ne s'agit peut-être pas de la ville qui, à ce moment-ci, me convienne le mieux. J'hésite encore entre Rome, Florence et Milan ou alors, peut-être, Sienne ou Bologne. Qu'est-ce que tu en penses ? Tu connais l'Italie bien mieux que moi. Me sentirais-je plus à l'aise en me dirigeant davantage vers le sud ? N'y fait-il pas encore très chaud, même à cette date ? Je t'en prie, conseille-moi. Je vais aller passer une semaine ou deux au lac de Garde, pour le soleil qui se fait de plus en plus rare sur la lagune. Tu pourrais m'écrire « poste restante » à Sirmione et à Bardolino. Tu vois que je n'ai pas beaucoup changé, j'hésite toujours autant. J'espère que cela ne te dérangera pas de m'écrire aux deux endroits, au cas où... Une simple photocopie ferait très bien l'affaire, tu sais. Je te remercie déjà. Et ces Métamorphoses, *ça avance ? Je t'embrasse. Raphaëlle.*

Il croyait bien pourtant avoir tout prévu, presque tout compris. Il n'a cependant jamais pensé qu'elle irait jusqu'à lui demander d'écrire la suite de l'histoire, de choisir à sa place, de lui dicter son rôle. Aurait-il tout imaginé ? Peut-être après tout se trouve-t-elle vraiment à Venise. N'est-ce pas ce que l'oblitération du timbre, presque trop parfaitement lisible cette fois, tend à prouver ?

Il saisit deux feuilles de ce papier quadrillé dont il se sert toujours pour établir le plan et la structure de ses bandes-annonces, et en plein centre de chacune d'elles, il écrit : *Rome. Rome bien sûr. Piazza del Popolo. Terrasse du Rosati. Le jeudi 9 octobre... vers midi.*

Il ne signe pas, change même un peu son écriture pour chacune des deux lettres, juste au cas où elle séjournerait aux deux endroits. Elle comprendra, cela va de soi, mais c'est sans importance, car il ne s'agit que d'un autre mensonge de plaisir. Il adresse les deux enveloppes : Sirmione, Bardolino. L'odeur, lui semble-t-il, n'est plus la même, l'odeur n'a pas résisté au mensonge de plaisir.

✦

Il n'attend même pas d'être de retour chez lui. Installé à une petite table du café le plus proche de la pharmacie où il vient tout juste de réclamer ses photos, il les scrute déjà, disposées en ordre sur quatre rangées. Six hommes chaque fois, de dos, plutôt grands, souvent moins voûtés qu'il ne l'avait d'abord cru et les cheveux bien peu grisonnants, dans certains cas, mais tout à fait blancs sur quelques clichés. Vingt-quatre hommes, vingt-quatre hommes trop différents. Seul le dernier, par contre, a le bras levé, le coude à angle droit et l'index pointé vers le ciel. Mais ce n'est pas ce qui l'intrigue le plus sur cette dernière photographie. D'ailleurs tous ces hommes pourraient bien être le photographe-imaginaire, même si aucun d'eux ne ressemble vraiment à celui de la cinquième photographie de ce qu'il appelle maintenant *la pellicule italienne.* Non, ce qui attire davantage son attention, c'est cette forme à l'arrière-plan, de l'autre côté de la rue, sur cette terrasse où il a rencontré Béatrice quelques jours auparavant, cette forme qui retourne le piège, qui échange les rôles, cette forme qui, sans pour autant se moquer, semble lui souffler : *Tu vois bien que tu n'es pas le seul à vouloir l'écrire, cette histoire, tu vois bien que désormais tu dois compter aussi avec moi.*

Il remet les photographies dans leur enveloppe, ne garde à la main que la dernière bande de négatifs et retourne en vitesse au comptoir de photos de la pharmacie.

— Celle-ci, 24a. Pour l'agrandissement gratuit.

— C'est toujours aussi urgent, j'imagine?

— Vous avez une très bonne imagination. Vous n'avez jamais pensé à écrire des histoires, je ne sais pas moi, des romans, des scénarios? Non?

— Alors, disons demain.

— Merci. Écoutez, tantôt je n'ai pas trouvé le film gratuit avec mes photos, alors je me demandais si...

— Cette promotion-là aussi est terminée, mais, vous savez, cette semaine nous avons un spécial : un trente-six poses, développement compris pour seulement...

— Non, non merci. Vraiment. C'était une simple curiosité, parce que vous savez, avant que je m'y remette...

— Bon. Eh bien à demain...

Il ne sait pas partir, il n'a jamais su partir, balbutie un très vague *au revoir*, recule, écrase les pieds de la prochaine cliente, s'excuse encore plus maladroitement, puis court presque vers la sortie.

✦

Le lendemain, sa grande enveloppe brune sous le bras, il a rendez-vous avec Béatrice à cette même terrasse qui fait face à la bibliothèque. Il la rejoint à sa table, il semble contrarié, car elle n'a pas choisi la bonne table. D'ailleurs, comment aurait-elle pu deviner ? Il la salue à peine, reste debout près d'elle, fixant l'autre table, occupée par un jeune couple.

— Dis donc, ça va ? Des gens que tu connais ?

— Oui... non... Attends-moi un petit moment.

Elle le voit se diriger, souriant faussement tout à coup, vers le jeune couple de l'autre table. Elle le voit poliment se pencher vers eux, parler, d'un geste vague leur montrer la table où elle est elle-même de plus en plus inconfortablement assise. Ils lui sourient maintenant à leur tour, se lèvent avec un parfait synchronisme et ils échangent, riant de plus belle, une brève poignée de mains. Ils viennent vers elle, lui souriant maintenant de toutes leurs dents, saines et presque trop nombreuses, tandis que derrière, il lui fait de grands et ridicules gestes des deux bras afin qu'elle le rejoigne à ce qui semble bien être leur nouvelle table. La croisant, la jeune femme lui murmure : *On comprend, vous savez. Félicitations!* Et c'est à son tour de sourire bêtement en ne ralentissant pas pour autant sa marche vers l'autre table.

— Bon, alors, c'est quoi le but du rodéo aujourd'hui?

— Je leur ai dit que nous nous étions connus ici même, à cette table, il y a plusieurs années et que comme c'est aujourd'hui l'anniversaire de cette mémorable rencontre... Souris, voyons, ils nous regardent.

— C'est quoi le problème, il te manquait dix ou douze pas pour arriver au chiffre magique de la journée?

— Assis-toi... et souris! Je vais t'expliquer.

— Vas-y, Roméo!

— Il me fallait absolument cette table, tu vas comprendre, regarde bien cette photographie.

— Ah non! Pas encore! Tu me l'as déjà faite, celle-là, tu ne te rappelles pas? Je commence à trouver que, pour quelqu'un qui déteste la photographie, tu donnes au bureau plutôt allègrement!

Puis il sort l'agrandissement de l'enveloppe brune, le lui met sous le nez comme une pièce à conviction.

— Tiens, tu donnes même dans le grand format maintenant ! Décidément, n'importe quoi pour épater la galerie !

— Alors, qu'est-ce que t'en penses ?

— Photographie tout à fait passionnante : un homme, vu de dos, s'apprête à monter dans un taxi auquel il vient tout juste de faire signe. Sublime ! Vraiment sublime ! Du grand art ! Non, mais tu ne m'as quand même pas donné rendez-vous ici après six heures de répétition pour me faire jouer à la table musicale et pour me convaincre d'admirer la photographie d'un homme qui se prépare à prendre un taxi ?

— Mais non ! Pas cet homme-là ! L'autre, derrière, de l'autre côté de la rue !

— Bon d'accord, il y a aussi un deuxième homme, avec un appareil photo, de l'autre côté de la rue... Est-ce qu'on peut boire quelque chose maintenant ? Toute cette fascinante histoire a fini par me donner soif.

— Béatrice, ne bouge pas, reste là : juste une petite minute et tu vas comprendre.

Avant même qu'elle ait eu le temps de répliquer, il est déjà debout et commence à traverser la rue, slalomant habilement entre les dizaines de voitures immobilisées au feu rouge. Dès qu'il atteint l'autre trottoir, il monte d'une seule enjambée les quatre premières marches du large escalier, puis bondit sur l'un des piliers de ciment où il s'accroupit, les jambes en tailleur.

Béatrice le regarde, à la fois inquiète et amusée de le voir tout à coup se mettre à mimer des deux mains celui qui prend des photographies. Derrière elle, on rit. Elle se retourne et le jeune couple lui fait un petit geste entendu de complicité nouvelle. Elle n'ose imaginer le scénario qu'ils sont à s'inventer. Elle veut le sommer de revenir, mais il est déjà au centre de la rue, en équilibre précaire sur la ligne blanche, piégé par des automobilistes sans pitié pour ce funambule, victime d'un feu un peu trop vite tourné au vert. Il bondit pourtant entre deux japonaises au son rageur des klaxons, une belle unanimité pour une si légère insulte.

— Alors, tu comprends ?

— Tout à fait, tu as décidé de laisser tomber bandes-annonces, montage, accessoires et de te recycler dans le mime ou le fil de fer ! La corde raide, ça a toujours été ton genre, non ? J'espère par contre que tu vises rien de moins que le Cirque du Soleil, un peu d'envergure tout de même !

— S'il te plaît, regarde une dernière fois. Cette photo-là, c'est moi qui l'ai prise, de là-bas justement, assis sur le pilier. C'est cet homme-ci que je voulais, celui qui va prendre le taxi. Et puis, en la regardant attentivement, j'ai remarqué celui-là, assis, avec son appareil en pleine figure, assis à cette table-ci, précisément. Je croyais photographier quelqu'un et pendant ce temps-là, c'est lui, l'autre, qui me tirait le portrait...

— Bon... j'aime mieux ça ! Au moins on en revient au cinéma : c'est un film italien, en anglais, ça se passe à Londres, une affaire de meurtre non résolue, un photographe enquête à sa manière, comédien principal : Terence Stamp. C'est bien ça, non ? Alors qu'est-ce que je gagne ? Ça te prend le titre aussi ? *Blow up !*

— Tu le fais exprès ou quoi ?

— Écoute, on commande à boire ou bien je te promets que c'est moi qui vais te le tirer, le portrait !

— Mais c'est lui !

— Qui lui ?

— L'autre !

— L'autre ?

— Le photographe, le photographe-imaginaire, enfin plus si imaginaire que ça, celui qui a pris ces photos que je t'ai montrées, tu t'en souviens au moins : un paysage, un p-a-y-s-a-g-e, trois fois le même paysage !

— Tu veux dire celui qui... que Raphaëlle... enfin... ?

— Bingo ! Celui qui... celui que... celui dont..., mais c'est aussi celui qui a caché le livre, celui qui a caché mon livre !

— Garçon ! Un bloody mary, s'il vous plaît : très épicé !

— Deux !

✦

Même sur l'agrandissement, il n'arrive que très mal à reconnaître l'homme de la cinquième photographie. Mais il ne doute pas que c'est bien lui que cet homme, qui qu'il soit, photographiait à ce moment-là, lui, pris qui croyait prendre, faisant erreur sur la personne, se trompant de cible, le cherchant de dos alors qu'il était de face, l'interpellait presque, en quelque sorte lui faisait signe : *Regarde, nous parlons le même langage, nous nous servons du même appareil, nous nous en servons de la même manière. Nous ne sommes qu'à quelques pas l'un de l'autre. Il suffirait que tu traverses la rue, slalomant habilement entre toutes ces voitures immobilisées au feu rouge, que tu t'assoies à cette table qui est maintenant la tienne et que nous parlions de Venise, de Florence, de Milan et de Rome, puis que nous parlions d'elle, de son départ, de toutes ces lettres qu'elle ne peut s'empêcher de nous envoyer. Oui, il suffirait que tu descendes de ton pilier et que tu traverses la rue.*

Il ne sait pourquoi tout à coup cet homme lui rappelle le père-comptable. Les cheveux si blancs peut-être, malgré le jeune âge, une certaine tristesse sans doute dans ce sourire qu'il n'a pourtant jamais vu. Il sait que cet homme a été l'amant de Raphaëlle, que cet homme l'a caressée, embrassée, pénétrée, que cet homme lui a murmuré des choses, fait prendre des poses, peut-être même ligoté les poignets derrière le dos ou alors exagérément tendus au-dessus de la tête. Et il sait aussi que cet homme a caché le livre.

Cet homme le cherche, l'ayant pourtant trouvé, photographié à son tour, pris à son propre jeu. Il ne doute pas qu'il doive haïr cet homme qui lui a tout dérobé : le corps de sa femme, le livre et jusqu'à son propre corps, assis là sur ce pilier, hiératique et grotesque, ignorant qu'il s'astreint à une immobilité que l'autre, peut-être, lui impose. Il ne peut que haïr cet homme-là, mais cet homme-là, incompréhensiblement, lui rappelle le père-comptable.

— Tu sais quoi ?

Il en a presque oublié Béatrice qui, d'une langue arrondie, lèche méthodiquement le sel brun et citronné qui cercle son verre.

— Laisse-moi deviner, Béatrice : tu te dis, en ce moment même, que je dois être très photogénique sur cette photographie qu'il est en train de prendre.

— Pas du tout, justement !

— Charmante, vraiment charmante ! Tu veux un autre bloody ?

— Pas de pellicule !

— Quoi ? Moi, j'en prends un autre.

— Je jurerais devant un juge qu'il n'y a pas de pellicule dans son appareil. Je jurerais qu'il fait semblant !

— Il fait semblant ? Et pourquoi au juste ?

— C'est simple, voyons : il prend la pose !

— Il prend la pose ?

— Pour toi ! Il prend la pose pour toi, pour que tu le reconnaisses. Tu ne vas quand même pas t'imaginer qu'il se cache derrière son appareil, non ? Tu ne l'as jamais vu, tu ne sais même pas à quoi il ressemble, alors c'est peut-être sa façon à lui de te dire : *regarde, c'est moi !*

— Garçon, deux bloody mary, très très épicés. Et beaucoup de sel autour du verre !

— Et le tennis ?

— Qu'est-ce que tu dirais plutôt d'une petite douche rapide ?

✦

Il ne sait plus trop s'il doit regarder les onze photographies qu'il lui reste à découvrir. La peur tout à coup. Pour la première fois, la peur, alors qu'il croit pourtant avoir tout compris. La peur simplement, celle du ventre, celle de la gorge, celle aussi de l'entrejambe, la peur peut-être justement d'avoir mal compris : la peur du pire. Et le pire est sans doute déjà là. Il n'arrive pas à en vouloir à Raphaëlle, n'arrive pas à haïr cet homme qui lui rappelle le père-comptable, n'arrive pas à haïr comme il faut. Déjà là, le pire. Plus encore, la peur que le pire soit plutôt ce qu'il reste à en vivre, tout ce qu'il reste à en vivre : les photographies, mais aussi les lettres, les scénarios de Marie, le film de Patrice, les rêves de Béatrice et peut-être même la terrasse du Rosati, à Rome, Piazza del Popolo, le neuf octobre, vers midi.

✦

Pas de lettres depuis quelques jours. Aucune nouvelle de Patrice. Un bref message de Marie sur son répondeur ; quelque chose d'amusé, croit-il entendre, dans la voix : *Jean-Pierre est furieux contre moi, j'espère que tu ne m'en veux pas trop. Je t'expliquerai.* Il n'a pas retouché aux photographies italiennes, mais a commencé à faire un peu d'ordre, car l'odeur est réapparue.

Si la porte n'est pas verrouillée, Marie entre toujours sans frapper. Quand on s'en étonne, elle prétend qu'elle oublie, chaque fois. Lui, ne s'en étonne plus, depuis longtemps. Combien de fois ne l'a-t-il pas trouvée, à son réveil, assise au bout de la table, songeuse ou lisant simplement le journal qu'elle avait trouvé sur le palier ? Il ne sursaute même pas lorsque, rentrant, il la découvre endormie sur le divan ou bizarrement captivée par une émission de télé conçue par et pour des sous-doués chroniques. Marie n'arrive jamais, Marie surgit, Marie est là, simplement. Marie n'a pas cessé, depuis près de trente ans, d'être une étonnante apparition. Raphaëlle se sentait sans cesse menacée par cette étrange manière *de se matérialiser*, disait-elle, aux moments les plus inattendus. Marie n'avait jamais su comment arriver ; et pendant ce temps-là, Raphaëlle avait appris la plus invraisemblable façon de partir.

Cette fois, c'est sortant de sa chambre, les bras chargés de vieux journaux et de vêtements sales, qu'il la surprend, devant le réfrigérateur ouvert, presque vide.

— Le lait n'est plus bon, ton jus de pomme a fermenté et ton yogourt a l'allure d'une expérience bactériologique.

Elle ne s'est pas retournée, elle poursuit son inventaire, s'accroupit même pour évaluer l'étendue des dégâts dans le tiroir à légumes : la liquéfaction des carottes déjà la repousse de quelques pieds, la fourrure des choux de Bruxelles achève le travail.

— Qu'est-ce qui se passe ici ? On se croirait chez Jean-Pierre ! Vous avez pris une gageure ou quoi ? Non, j'ai trouvé : tu travailles pour un groupe terroriste ! Tu prépares un grand coup... l'Iraq... non, laisse-moi deviner : la Libye ?

— Prends une bière, elle devrait être encore buvable. Non ! pas celle-là, je l'ai rebouchée, il y a trois jours !

— Plus soif, merci quand même...

— Alors ce recueil de scénarios, ça avance ? Combien en as-tu pondu cette semaine ?

— Bon, d'accord. Donc toi aussi t'es en colère. Décidément, plus personne n'entend à rire...

— Parce que c'était une blague ?

— Enfin, oui et non, je trouvais l'idée amusante, non ? Et puis ce projet de film, ça ne me dit rien du tout. *Les Métamorphoses*, tu te rends compte ?

Il s'approche d'elle, des deux mains lui relève la tête qui n'en finit plus, depuis quelques instants, laide si laide, de tomber, l'embrasse sur le front puis sur les deux tempes, lui sourit, laide moins laide tout à coup.

— Mais non, je ne t'en veux pas, enfin pas trop, même si je comprends plutôt mal. Et puis comment t'as fait pour apprendre tout ça, toutes ces petites choses, ces détails, les noms, les dates... tout?

— J'écoute, c'est tout.

— Tu écoutes?

— Bien sûr. Je vous ai écoutés, simplement. Je vous ai écoutés et je vous ai crus, je vous ai tous crus, tout ce que vous avez dit. D'ailleurs tu sais bien que les gens disent tout, finissent toujours par tout dire; il n'y a plus vraiment de secret. Une petite confidence à lui, une autre à elle, à chacun sa petite confidence dont chacun est si fier d'être l'unique dépositaire qu'il ne peut se résoudre à en détenir l'exclusivité. Ensuite il suffit d'attendre qu'ils oublient tous qu'il s'agissait là de leur modeste part d'un bien plus grand secret. Il suffit d'attendre qu'ils oublient et qu'ils racontent chacun à leur tour ce qui ne devait, à aucun prix, être répété. Alors, moi j'écoute, je vous écoute tous. C'est ça mon secret à moi : écouter, ne pas brûler de dire et, surtout, tout croire, surtout le plus invraisemblable, ce qui me permet même, après coup, de deviner, de prévoir et d'inventer un peu. Tu devrais relire attentivement *Les Métamorphoses* et puis tous ces textes mythologiques que t'as toujours adorés. Observes-y bien toutes ces figures d'oracles, de voyants, de devins. On se les imagine toujours comme des êtres qui parlent, qui disent plein de choses à tout le monde, qui racontent, qui dévoilent, on pense à eux uniquement comme à des êtres de révélation. Lis bien, tu vas être surpris, ils ne parlent presque jamais, bien au contraire : même quand on les questionne, ils restent le plus souvent silencieux, immobiles et... laids, parfois.

C'est autour que ça s'agite et que ça gueule. Eux, ils attendent, ils attendent d'en avoir assez entendu, d'en avoir assez appris. Ils attendent que le secret s'épuise et sombre dans un sommeil gras et sale. Tu vas voir, ils ne révèlent rien justement, ils répètent, ils ne font que répéter. Je n'ai fait que répéter. J'ai fait le ménage, ça devrait te plaire. J'ai juste mis de l'ordre dans toutes vos petites affaires. J'ai tellement bien tout rangé que Jean-Pierre ne s'y est plus reconnu, mais ça aussi je l'avais prévu. Vous me reprochez toujours mon silence, vous vous êtes si souvent moqués de mes distractions que vous n'allez quand même pas m'en vouloir d'avoir été attentive et de vous rendre la confidence ! Bon, voilà, c'est tout. Qu'est-ce que je devrais faire maintenant ? M'excuser ?

— Non, ferme plutôt le frigo !

— Désolée, mon capitaine, mais je crains fort qu'il n'y ait là aucun survivant !

— Bien, soyons courageux. T'as vu le désordre, alors puisque t'es rendue experte dans le domaine, aide-moi : on commence par la cuisine !

— À vos ordres !

— Mais je t'en prie, moussaillon, pas un mot du frigo à personne, sinon : *aux fers !*

— Promis, mais avoue que c'est dommage, ça ferait une scène extraordinaire dans un film qui s'inspirerait des *Métamorphoses* !

✦

La lettre suivante est encore plus brève que les précédentes. Elle a le ton irréfléchi de ce qui ne peut plus être contenu. Quelque chose de la mémoire lourde, peuplée, et de la soumission rapide :

Le vieux Pentax est au fond de la garde-robe de la chambre à coucher. Je crois qu'elle contient une pellicule qui n'est pas encore terminée. Il faudrait sans doute penser à la faire développer avant qu'il ne soit trop tard. Il est si souvent trop tard, tu ne crois pas ?

Elle avait donc vraiment tout prévu, sauf qu'il irait voir avant qu'elle ne le lui suggère, une bien simple erreur, au montage sans doute, une toute petite défaillance dans l'ordre du monde qu'elle imagine. Comment aurait-il réagi à cette suggestion s'il n'avait pas déjà pris connaissance de la pellicule italienne ? Qu'est-ce qu'il se serait donc imaginé lisant une si curieuse petite lettre ?

Il n'arrive pas à oublier qu'elle-même ne les a jamais vues, ces photographies. Se souvient-elle seulement de ce qui s'y trouve ? Peut-elle, trois ans plus tard, avoir gardé mémoire de chacune de ces prises ? Se rappelle-t-elle vraiment de son corps nu et plein du regard de l'autre ? S'imagine-t-elle seulement ce qu'elle lui demande de regarder, afin qu'il sache, enfin, qu'il apprenne l'existence du photographe-imaginaire, sa présence, trois ans plus tôt, en Italie, à Venise ? Peut-il s'agir là de la seule façon qu'elle ait trouvée pour lui faire comprendre qu'il y aurait eu, dans sa vie, ne serait-ce que le temps d'un voyage à Venise, quelqu'un d'autre, quelqu'un d'autre qui, lui, aimait la photographier, qui, lui, ne considérait pas que cela ne faisait qu'ajouter du corps au corps et qu'à mêler un peu plus l'univers?

Il regrette que les choses ne se soient pas passées exactement comme elle l'avait souhaité. S'il n'y avait eu, ce jour-là, le corps de Béatrice sous la douche, puis la ceinture du vieux peignoir attachée à la barre de métal... Il ne peut donc être fidèle qu'à rebours à la petite histoire qu'elle lui écrit.

Il saisit l'appareil et d'un pas que l'on pourrait croire solennel se dirige vers la chambre; d'un peu plus près on arriverait sans doute à lire les nombres sur ses lèvres. Il ouvre la porte de la profonde garde-robe, y plonge à l'aveugle la main qui tient l'appareil au bout de la longue courroie de cuir et qui traverse difficilement les vêtements, ses vêtements à elle, comme une fourrure, si serrés les uns contre les autres que c'est avec peine que le bras s'y fraie un chemin jusqu'aux ténèbres les plus menaçantes, celles-là mêmes dont, enfant, il croyait qu'allait surgir la main griffue qui le tirerait, petite chose inoffensive, vers des mondes enfumés, gras et malodorants.

Pourquoi donc ne pouvait-il alors s'empêcher de tendre ainsi la main au terrible, de défier le pire, pourquoi s'obligeait-il, le bras fouillant timidement les robes suspendues de sa mère, à compter lentement jusqu'à vingt avant de l'en retirer, ricanant : cette même petite victoire, pendant toute son enfance, chaque jour, contre d'inimaginables machines de mort?

Il ne rit pas maintenant, ne compte plus, pousse le bras jusqu'à sa limite et laisse tomber l'appareil, rendu à l'obscurité de sa nuit. *Notte Oscura*, un joli titre... tout de même.

✦

La onzième photographie lui montre Raphaëlle souriante, dans le rôle traditionnel de la touriste, debout devant un édifice typiquement vénitien, architecture et couleurs des matériaux travesties par cette lumière si particulière. Il pourrait très bien s'agir de cet immeuble où se déroulait le colloque auquel elle assistait. La banalité de cette photographie est offensante. Aucune recherche, aucune intention, une photographie de voyage, une quelconque photographie de voyage, une photographie de couple en voyage : *Tiens, juste là ma chérie, ne bouge plus, souris, ce sera très bien avec toute cette lumière, tourne-toi un peu, souris, voilà !* Désolant.

Cette onzième le blesse bien davantage que Raphaëlle nue. Elle est là la véritable indécence, la plus parfaite obscénité, jusque dans le vêtement, petit tailleur de lin, jusque dans la pose, main gauche sur la hanche, et dans le cadrage, un léger décentrement du corps afin de faire plus naturel : le photographe-imaginaire qui joue au photographe du dimanche. La onzième photographie est une fausse photographie, la onzième photographie est la photographie du monde à l'envers.

Il ne lui reste plus qu'à retourner à la bibliothèque et qu'à compter ses pas. Huit cent trois. Il en était sûr avant même la première enjambée. Aucune satisfaction ; c'était dans l'ordre des choses, cela aussi. Il a à peine mis le pied dans l'immense salle qu'il voit la jeune bibliothécaire lui faire un large signe de la main comme à quelqu'un perdu en mer qu'on s'apprête à rescaper. Puis, elle se penche derrière le comptoir et en émerge, tenant des deux mains l'exemplaire des *Métamorphoses*, celui dans le coffret en tissu bleu, avec les illustrations de Picasso. Elle le lève même difficilement – ses poignets sont si frêles – au-dessus de sa tête, on croirait un trophée tant, exubérante, elle l'agite de gauche à droite afin d'être bien certaine qu'il la remarque et surtout qu'il le reconnaisse.

— Hier, on l'a retrouvé hier ! J'espérais que vous viendriez.

— Et puis finalement, où est-ce qu'il avait été caché ?

— Ça, c'est le plus étonnant : on l'a retrouvé sur une table, au beau milieu d'une table, celle-là... oui là-bas, celle de l'alcôve que vous choisissez toujours. C'est étrange, vous ne trouvez pas ?

— Vous avez remarqué quelqu'un ?

— Pas du tout, il y a eu tant de monde hier, et vous savez, ça prend quelques secondes, sortir le livre de sa cachette et le déposer là. Sans doute qu'il a fini par y trouver ce qu'il cherchait.

— Bien sûr, enfin, j'imagine que c'est une bonne nouvelle.

— Oui, c'est bien... pour vous, non ? Vous le prenez aujourd'hui ?

— Pourquoi pas. J'ai peut-être encore une ou deux petites choses à vérifier.

Il choisit une autre table, ouvre très distraitement le livre, au hasard ; au hasard, croit-il. Mais c'est l'épais petit carton qu'on y a glissé qui choisit la page : Livre onzième, *La Mort d'Orphée*, et sur l'épais petit carton, des initiales et un numéro de téléphone.

CHAPITRE 2

Il choisit les punaises plastifiées, celles à têtes longues et multicolores. Il n'hésite pas. Une certaine urgence dans ses gestes, une lourde détermination surtout : le mur de droite, déjà plus encombré par une large bibliothèque, conviendra pour les photographies ; celui de gauche, en en retirant la reproduction de l'affiche de *Teorema* de Pasolini, permettra une meilleure dispositiiton des lettres.

Il aligne donc parfaitement lettres et photographies. Vis-à-vis, en un étrange dialogue. Deux murs, deux séquences, face à face. Sa salle de travail est devenue une grotte bizarrement enluminée. Il s'assoit à sa table, le dos exagérément droit, au centre de ces deux fresques où il se plaît à imaginer des bisons et des cerfs dévalant les parois rendues grasses par la fumée huileuse des lampes.

Il regarde droit devant, mais n'en voit pas moins, du coin des yeux, les deux cartes inachevées sur chacun des murs. Onze photographies, sept lettres. Et sur le mur d'en face, qui était déjà nu, non moins rigoureusement épinglées, les vingt-quatre pages de sa copie du scénario, sur quatre rangées.

Il n'a tout compte fait laissé au hasard que le choix des couleurs. Trois murs constellés, cent soixante-huit petites étoiles multicolores. Qu'est-ce que Marie arriverait à y lire ? Trois murs, tant de passé, quelques figures du présent, et le futur qui s'échappe par toutes ces petites traces qui échappent à leur tour à l'ordre le plus simple. Se peut-il que sa vie se résume à cela ? Il ne s'agit plus du plan d'une bande-annonce, non plus que d'une esquisse de montage. Car tous ces murs ne sont-ils pas d'ailleurs déjà, et depuis longtemps, microscopiquement perforés de tant de dispositions plus ou moins occultes, criblés, troués par tous ces petits jeux auxquels ils se sont livrés, Patrice et lui ? Ne s'attend-il pas toujours, un peu bêtement, à ce que la lumière du jour, malgré la pierre, malgré la brique, s'y piège, subitement tamisée, diffractée, déchirant tout à coup la pièce de milliers de fins rayons qui créeraient alors, dans leur folle traversée, les figures les plus invraisemblables et les angles les plus inouïs ?

Il monte et descend le siège de son fauteuil, pivote à gauche, puis à droite, s'avance un peu, recule même, d'une petite poussée du pied sur le carrelage, jusqu'au mur, derrière, le quatrième ; mais jamais il ne tourne le dos. Bien sûr, il ne sait pas au juste ce qu'il y cherche, ni seulement s'il y cherche vraiment quelque chose. Il voulait voir, il voulait juste voir. Il désirait confronter mensonges et vérités, mais sans trop vouloir savoir où précisément s'en déciderait le partage, dans cette petite pièce d'une grande ville presque vide du continent nord-américain.

Il y a punaisé le ciel et le destin ; il s'y est installé un firmament à sa mesure.

✦

La nuit n'est pas qu'un jour sans lumière. La nuit est sans lettres et sans photographies, la nuit est sans livres, mais n'en est-elle pas moins le lieu de toutes les métamorphoses ? Dans son rêve, c'est l'olifant qui sonne, dans son rêve il hésite à savoir s'il faut dire cor ou olifant ou alors, tout simplement, trompe. De quoi joue-t-on au juste dans le texte d'Ovide ? Ou bien n'y fait-on que chanter ? Orphée pourtant. Mais les sirènes ! Et cette fois, c'est en s'éveillant qu'il succombe à la musique lointaine qui l'appelle et l'appelle infiniment. Il dénoue ses liens, s'arrache au mât, se redresse violemment, le souffle court, les yeux inutilement ouverts contre l'obscurité, et la sueur jusqu'au bas du dos. Quand il porte le récepteur à son oreille, on a raccroché, bien sûr.

Il est près de sept heures, mais il fait encore presque nuit à ce moment de la saison. Il n'en distingue pas moins le petit carton blanc qu'il a laissé tout près de l'appareil. Il y devine même les initiales et les chiffres, ne peut s'empêcher d'imaginer que c'était l'autre à l'instant qui appelait et qu'il aurait sans doute suffi qu'il se libère un peu plus vite des lourdes cordes qui le protégeaient de ce chant étrange pour qu'il entende cette voix qu'il se figure, sans trop comprendre pourquoi, lente mais affirmée, jamais hésitante malgré une certaine prudence dans le choix des mots, les adverbes surtout, et la chute des phrases.

Quand à nouveau la sonnerie se fait entendre, il comprend qu'il ne s'agissait là, bien qu'éveillé, que d'un autre rêve dans cette longue suite de songes si pleins de voix et d'appels. Il laisse sonner trois ou quatre fois, debout, immobile, comme pour s'assurer, cette fois, qu'il ne s'imagine rien. Et très lentement, à la fin, il décroche.

— Salut, pourquoi donc laisses-tu sonner quatre fois quand tu es tout juste à côté de l'appareil ?

— Ah Béatrice, parce que c'était rien que toi tantôt ?

— Décidément, quel charmeur ! Bien oui, c'était *rien que moi !* Tu connais le truc, non ? Tu laisses sonner une première fois et dès qu'on répond, tu raccroches, ensuite tu attends quelques minutes et tu rappelles, puis, si l'autre te questionne, tu fais semblant de ne pas comprendre, tu dis que non vraiment ce n'était pas toi la fois précédente. Comme ça tu t'évites le rôle odieux de la personne qui dérange, qui réveille, qui fait chier quoi !

— Oui, mais si la première chose que tu fais c'est, comme maintenant, d'avouer et d'expliquer tout le raffinement de la stratégie, tu peux me dire ce que ça donne ?

— Rien ! Absolument rien ! Je voulais juste faire semblant, surtout que Patrice vient précisément de me faire le coup, il y a cinq minutes, ce qu'il a catégoriquement refusé d'admettre. Non, mais tu te rends compte : c'est moi qui lui ai donné l'idée, il y a à peine un an ! Puis, de toute façon, il n'attend jamais assez longtemps entre ses deux appels, et c'est tout juste s'il ne commence pas par dire que *non vraiment, ce n'était pas lui, il y a un petit moment, non mais qu'est-ce que tu vas imaginer ? Et pourquoi donc aurait-il alors raccroché ?* Voilà, j'avais juste plus le goût de faire semblant, je trouvais qu'un mensonge ça suffisait. Faut pas exagérer, tu te rends comptes, il est même pas sept heures !

— Bon, justement il est même pas sept heures et il y a une dizaine de minutes, je me prenais bien tranquillement pour Ulysse, gentiment ligoté à mon mât. Alors c'est quoi l'idée de la conférence téléphonique nocturne, c'est quoi au juste votre problème ?

— Du calme, Ulysse, moi, je ne suis que la messagère : réunion à neuf heures, chez Patrice.

— Réunion ?

— Exact ! Juste au cas où tu t'en souviendrais pas, on travaille à un film, tu te rappelles : *Les Métamorphoses*, Ovide... ?

— Oui, ça me dit très vaguement quelque chose. Bon, laisse-moi au moins le temps d'accoster, tu veux bien ?

— Pas trop de manœuvres inutiles, matelot, il a dit *pile*, *neuf heures pile*, sinon, si j'ai bien compris, c'est l'abandon en mer !

— Bien difficile de me sentir davantage dans la cale que maintenant, alors les grands flots, ça m'impressionne pas trop.

— La cale ! Excellent, ça me convient tout à fait ! On demande une chambre double ? Tout de même, tarde pas trop : il avait son ton des grands jours !

— Celui qu'il prend pour dire *on tourne* ?

— On peut rien te cacher.

— Cette voix-là, à sept heures ?

— Un samedi à part ça... et en septembre, tu te rends compte ?

— Qu'est-ce que tu me suggères ? Un taxi ?

— Un taxi ? Tu veux rire, non ? Rien de moins que la téléportation, capitaine !

— Très bien, *beam me up, Scotty !*

— Énergie !

✦

Sur la douzième photographie, Raphaëlle danse, seule, sur une place ensoleillée. Ce pourrait être à Pise ; à Sienne plutôt, à cause de la couleur des collines à l'arrière-plan. Sur la treizième également, et puis sur la quatorzième. Le même geste presque, comme un paysage à trois moments différents, mais si rapprochés qu'il n'y a que la lumière qui change, imperceptiblement. On dirait cette danse grecque dont les pas sont orchestrés par la peur de ces bâtons qui s'agitent au sol et menacent à tout moment de vous fracturer les chevilles. Elle sourit pourtant. Dansera-t-elle ainsi jusqu'à la fin des temps ?

Il n'a jamais vu Raphaëlle si légère. Quant à lui, il y a si longtemps qu'il n'a pas dansé ; il y a si longtemps qu'il n'a plus craint pour ses chevilles.

✦

L'appartement de Patrice est tout le contraire de celui de Jean-Pierre. Tout y est si à l'ordre que tout y disparaît, sauf ce qui s'y meut : les deux chats, l'oiseau dans sa cage impeccable, debout ou assis, les gens qui parlent, portent à leur bouche une tasse ou un verre, quelqu'un une cigarette; chaque mouvement y est d'autant plus affirmé que, tout autour, rien ne bouge, rien, croirait-on, n'y a jamais été déplacé, remué. Chaque geste ne fait que réaffirmer l'imperturbable harmonie de la scène, s'y découpant nettement comme une surimpression maladroite.

Et pourtant, il le sait, lui qui connaît Patrice depuis si longtemps, que ce théâtre – on dirait presque un jeu d'enfant fait de cartons et de couleurs – n'est, au contraire, que le fruit d'une perpétuelle agitation. Combien de fois n'a-t-il pas vu Patrice ranger, classer, aligner, déplacer toiles, meubles, objets, en fonction de la forme, de la taille, de la teinte ? Il a ri en le voyant repeindre trois fois le même mur jusqu'à ce que *ça donne* ce qu'il souhaitait, ragé parce que des centaines de livres disparaissaient à cause, avouait Patrice, *de leur volume ou de leur couleur* qui ne convenait plus dans l'équilibre global de la bibliothèque acajou qui venait tout juste d'avoir gain de cause sur la pâleur jaunâtre du merisier. Ne l'a-t-il pas même déjà aidé à nettoyer le sous-bois qui entourait un petit chalet de location ? Plusieurs semaines à râteler, à couper des branches encombrantes et inesthétiques, à enlever des souches et même à y redisposer sable, roches et cailloux, jusqu'à ce qu'ils arrivent à s'y croire davantage à Kyoto qu'à Sainte-Pétronille, sur l'île d'Orléans.

✦

Béatrice est déjà là. Immobile comme tous les autres. Un petit animal en contreplaqué sur une pelouse trop propre. Une tasse arrêtée entre les genoux et la bouche, elle regarde Jean-Pierre dont le regrettable désordre, cheveux, vêtements, corps tout entier, n'arrive même pas à troubler l'harmonie d'ensemble où la laideur de Marie a parfaitement sa place, profilée contre un laminage postmoderne.

Quelques comédiens qu'il connaît à peine semblent installés là de toute éternité, fumant, bâillant, se taisant surtout, le regardent s'avancer, un demi-pas derrière Patrice, comme s'il menaçait, à chaque lente enjambée, l'équilibre précaire de la scène. Le caméraman, qu'il reconnaît, de dos, regarde la ville par la porte vitrée du seizième étage. Il bouge régulièrement la tête, comme s'il cherchait le plan parfait, le cadrage exact. Il le salue sans même se retourner.

— Viens voir, je crois que ce serait bien pour le générique. C'est bien toi qui fais le montage du générique ?

— La bande-annonce, le générique, je ne sais pas encore. Peut-être. Tu penses à l'ouverture ?

— Non, au générique de la fin. Pour le début, Patrice a déjà une idée, j'ai pas trop compris : quelqu'un qui marche dans la ville et dont on voit les lèvres, parfois en gros plan, articuler silencieusement des nombres. Qu'est-ce que t'en penses ?

— Bizarre, en effet, mais tu sais, moi, les génériques... C'est surtout les bandes-annonces que j'aime ; tellement, d'ailleurs, que très souvent je me passerais bien du film.

Patrice voudrait attirer l'attention de tout le monde, mais on dirait qu'il craint de poser un geste trop brusque ou de parler trop fort. Il est évident qu'ainsi le portrait de groupe lui convient et qu'il redoute d'en troubler l'harmonie. Ne préfère-t-il pas d'ailleurs les recevoir le matin, à cette heure où les corps toujours ensommeillés risquent moins de faire de grands mouvements désordonnés, de s'agiter inutilement ?

Il leur sourit donc, exagérément, debout au centre de la pièce, une main immobile à peine levée, la droite plaquée contre la cuisse, mais les doigts si écartés qu'elle parle bien plus que cette gauche qui n'arrive toujours pas à décider du geste qui convient, bêtement arrêtée à la hauteur de la hanche. Alors, il toussote, plus bêtement encore, et tous se tournent vers lui, comme s'ils n'espéraient que cela, un petit signe, n'importe lequel, comme l'orchestre qui, dans la fosse, s'impatiente à s'accorder. Tous le regardent et tous attendent, mais tout à coup ce n'est pas lui qui parle et leur façon, un à un, sans aucun souci de synchronisme, de se tourner vers Marie, ne peut bien sûr que le décevoir.

✦

Alors Marie parle. Il pourrait s'agir d'un scénario ou d'une simple histoire, d'un souvenir encore, peut-être banalement d'une rumeur. Mais il doit être plutôt question d'un scénario, puisqu'ils sont tous réunis. Il arrive mal cependant à écouter. Il regarde toujours par la porte vitrée du seizième étage. Le caméraman, quant à lui, s'est aussitôt retourné vers Marie dont la laideur n'a jamais cessé de le fasciner. Il regarde la ville et n'entend distinctement que quelques syllabes, de temps à autre. Il s'efforce pourtant d'être attentif; c'est la voix de Marie, croirait-on, qui ne parvient que bien mal jusqu'à lui. Il en retient tout de même quelques mots, photographie, lettre, mensonge, des mots banals finalement.

Lorsqu'il réussit à se tourner vers Marie, il est étonné de voir à quel point tous paraissent fascinés, parfaitement, par ce qu'elle raconte. Béatrice surtout, et même Jean-Pierre malgré la moue éternelle. Pourquoi donc arrive-t-il à peine à distinguer le mouvement de ses lèvres, comme si tout cela ne lui était pas destiné?

Il se rappelle que cela s'est déjà produit, au moment de la mort du père-comptable. Toute la famille était rassemblée et le médecin leur expliquait la situation : les problèmes pulmonaires, les dommages irréversibles au cerveau, l'inutilité de l'acharnement thérapeutique. Ils avaient dû tout lui répéter tant il n'en avait entendu que le plus insignifiant, le plus accessoire. On prétendait, un peu facilement, qu'il n'avait tout simplement pas voulu entendre. Il savait, quant à lui, qu'il s'agissait, bien au contraire, de ne surtout plus écouter ce qu'il avait de tout temps deviné, ce qu'il aurait été obscène, à tout prendre, de se laisser, une ultime fois, raconter. Car il en est des récits comme des visages que la répétition parfois rend inutilement terrifiants.

Aussi n'a-t-il peut-être pas à entendre ce que Marie, calmement, immobile presque, les jambes repliées sous elle, depuis près d'une heure, leur raconte : ce scénario, le vrai, le seul, qu'elle leur révèle à la manière d'un secret trop longtemps gardé. Il ne perçoit que la légère bouffée des mots, leur lenteur et leur contour. Cela lui suffit, comme il lui suffit de voir le sourire de Béatrice et le geste interrompu de Patrice – une statue, mais sans la rigidité – pour deviner ce qu'il y a là de la révélation et de la parole définitive.

✦

— Alors, ça te plaît ?

— Je préfère le bloody mary.

— Je parlais du scénario.

— Trop sucré, le sirop de grenadine sans doute, ça gâche le goût du rhum.

— Je parie que tu n'as même pas écouté Marie.

— Tout ça doit bien être écrit quelque part, non ?

— C'est le projet qui ne t'intéresse plus ?

— Trop compliqué, Béatrice. Tout cela devient beaucoup trop compliqué. Moi, je pensais à une histoire simple. Tu sais, du genre A aime B, B, avec les années, c'est normal, change un peu, et A ne le reconnaît plus, B rencontre C et A le quitte, non, non, A l'a déjà quitté, puis B rencontre C, tu vois ? Quelque chose de plausible, de vraisemblable, avec des noms, des lieux reconnaissables, une tension dramatique et une fin, bien oui, une fin, une vraie fin même !

— C'est étrange, tu parles exactement comme Jean-Pierre, on dirait même que vous avez échangé vos rôles, et puis il y a le col de ta chemise...

— Qu'est-ce qu'il a, le col de ma chemise ?

— Sale ! Très sale, le col de ta chemise ! Viens, on rentre.

— Est-ce que tu sais s'il est possible d'obtenir le nom de quelqu'un à partir de son numéro de téléphone ?

✦

Sur la quinzième photographie, Raphaëlle est aveugle, Raphaëlle joue à l'aveugle, face à l'objectif, les yeux clos, les bras allongés, devant, à la hauteur des épaules, à la manière des somnambules. Ils jouaient souvent à ce jeu, surtout dans des villes étrangères, surtout quand il y avait ce soleil qui rend l'air rouge de poussière et le ciel blanc, insomniaque. Ils y avaient joué la dernière fois à Orange, sur le parvis du théâtre romain. C'est elle qui avait gagné. Elle avait fait plus de trente pas, trente longues enjambées avant de s'immobiliser, secouée du rire nerveux de l'enfant qui a peur.

C'est lui, bien sûr, qui l'avait inventé, ce jeu. Mais c'est toujours elle qui réussissait, sans s'arrêter, le plus grand nombre de pas. Ils appelaient cela, riant chaque fois, *la marche de l'aveugle sans son chien.*

Elle y joue avec quelqu'un d'autre sur la quinzième photographie. Elle y joue avec le photographe-imaginaire. Elle y joue pour le photographe-imaginaire. Il n'est plus irremplaçable, sur la quinzième photographie, même pour *la marche de l'aveugle sans son chien.* Il veut croire pourtant qu'il n'y a là qu'une mise en scène, qu'elle n'a rien révélé, qu'elle n'a fait que prendre la pose, sans expliquer les vraies règles du jeu, que ce n'est qu'à lui, encore, qu'elle parle, que pour lui, toujours, qu'elle joue, que ce n'est qu'à lui, encore une fois, sur la quinzième photographie, qu'elle ment.

Elle mentait tellement, les semaines qui ont précédé son départ. À propos des choses les plus anodines : le menu d'un repas pris entre amis, le trajet choisi pour se rendre au travail, le titre du film qu'elle avait regardé alors qu'il dormait déjà. Il s'agissait peut-être là de sa manière à elle de le préparer aux mensonges plus lourds. Il sait maintenant à quel point mentir, c'est un peu comme parler seul, à l'autre, absent, que l'on se plaît à s'imaginer pendu à nos lèvres qui mentent et ne réussissent, à chaque mot, qu'à ajouter au mensonge qui en devient, pour le menteur, surtout pour le menteur, une épreuve incompréhensible.

✦

Il y a des chiffres qui parlent. Plus que d'autres. Il y a des chiffres qui parlent tellement. Ceux-là, mieux encore, crient ; car il y a même des chiffres qui crient, assourdissants, puisque les cris, le plus souvent, rendent inaudibles même les mots importants du cri. Ces chiffres-là le font sourd au monde entier. Sept chiffres, sur un petit carton blanc. On dirait presque une formule, une incantation, la combinaison secrète d'un coffre lourd et gris. Pas de trait d'union après les trois premiers chiffres, comme s'ils avaient été écrits à la hâte ou alors après une longue hésitation. Les chiffres à courbes surtout font croire à une certaine précipitation, à une fébrilité de tout ce corps qui a écrit. Il se peut que les chiffres hurlent, mais il est si rare que les chiffres mentent, car, toujours exacts – bien que parfois illisibles –, les chiffres sont d'un autre ordre, à mi-chemin de la vérité et du doute. C'est pour cela que les chiffres, croit-il, sont au cœur du sens.

Il arrive mal à comprendre pour quelle raison le photographe-imaginaire lui a laissé ce numéro. Qu'est-ce qu'ils peuvent bien avoir à se dire ? Qu'ont-ils maintenant à partager d'autre qu'ils n'aient déjà partagé ? Se peut-il qu'il s'agisse de nostalgie ou de consolation ? Il se répète infiniment les sept chiffres, sur tous les tons, du murmure complice jusqu'à la colère contenue. Il en figure tous les agencements, tous les retournements possibles, les sommes, les soustractions, les opérations les plus occultes. Il se revoit devant le test de quotient intellectuel, en classe de versification, obsédé par ces suites de nombres dont il fallait déduire la règle mystérieuse afin de connaître à coup sûr le chiffre qui devait suivre. Il cherche une fois de plus l'ordre des choses.

C'est d'un doigt étrangement calme et précis qu'il fait le numéro. Bien sûr la petite mélodie que composent les sept tonalités lui rappelle vaguement quelque chose. Habituellement, il sourit et s'imagine participer à un quiz, mais cette fois la musique est celle de l'énigme et de la catastrophe. Il n'y manque, tout compte fait, que le chant des sirènes et un mât bien solide.

À la troisième sonnerie, il se prend à souhaiter le ton d'un répondeur, anonyme, qui ne ferait que répéter aimablement le numéro, le priant de laisser un court message après le signal sonore. Il réussit mal cependant à imaginer ce qu'il pourrait bien alors vouloir dire au photographe-imaginaire. Aussi est-il d'abord presque soulagé lorsque la voix qu'il entend, après la quatrième sonnerie, n'a absolument rien de la politesse mécanique de la boîte vocale. Pourtant, son silence étonné force l'autre à répéter, impatient presque, le petit *oui* d'usage. Il pense aussitôt à raccrocher, puis ne trouve rien de mieux que demander : *C'est bien le...*

— Oui...

— Écoutez, on ne se connaît pas vraiment... mais vous m'avez laissé votre numéro...

— Ah bon, oui, je vois.

— Disons que c'est à propos de quelques photographies, de quelques photographies italiennes...

— Parce que vous aimez la photographie maintenant ?

— Je préfère toujours le cinéma.

— Oui, je sais, les bandes-annonces, ça me plaît bien à moi aussi.

— Et vous, il y a longtemps que vous vous intéressez aux *Métamorphoses* d'Ovide ?

— Vous seriez étonné. C'était l'une de mes œuvres préférées, quand j'étais au collège.

— Décidément, on est faits pour s'entendre. Elle a beaucoup de suite dans les idées. Ou alors elle manque d'imagination, qu'est-ce que vous en pensez ?

— Je ne crois pas que ce soit aussi simple que ça. Ça ne peut pas être aussi simple que ça.

— Je peux au moins connaître votre nom ?

— Je suis sûr que vous m'en avez déjà donné un.

— Vous croyez qu'il vous plaira ?

— C'est moins le nom que le rôle qui m'inquiète un peu.

— Alors, là, vous n'êtes pas le seul, il y a peut-être depuis le début un petit problème de distribution, vous voulez que j'en parle à Patrice ?

— Vous ne trouvez pas que tout cela ressemble à un dialogue écrit depuis longtemps ?

— Là non plus, je n'y suis pour rien. Vous savez, moi, les dialogues... Que les bandes-annonces... Vous le savez bien, rien que les bandes-annonces.

— Très bien, alors parlons des images, ne parlons que de quelques images.

✦

Quelques instants seulement après avoir raccroché, il n'arrive déjà plus à se rappeler vraiment la voix ; un peu lente peut-être, et grave, une voix jeune mais pleine de traces, de marques. Il ne se souvient pas non plus de quelle façon la conversation s'est terminée, mais il sait que ni l'un ni l'autre n'ont, à quelque moment que ce soit, mentionné le nom de Raphaëlle. Les photographies, il n'a été question que de photographies, de ce voyage en France et en Italie, plus de trois ans auparavant, de cette courte histoire, le temps d'une douzaine de photographies – *vingt et une*, a-t-il senti le besoin de préciser – et de ce projet de livre en collaboration qu'elle avait abandonné dès qu'elle en avait vu les illustrations. Ils ne se sont revus que deux ou trois fois depuis ce voyage, pour le travail. Mais quand il a su, par des amis communs, qu'elle était partie, il a voulu savoir, pourtant n'osait pas. Alors, il a essayé de faire signe, à sa façon.

Le photographe-imaginaire n'a rien reçu, ni lettre ni carte. C'est donc qu'elle lui a vraiment fait jouer les deux rôles, l'a laissé tout deviner, lui a tout avoué en dissimulant, lui a tout révélé en lui mentant plus que jamais. Pourquoi était-il si important de lui raconter, à sa façon, cette vieille histoire, de se décider à tout dire, à tout laisser entendre, trois ans plus tard ? A-t-elle ainsi voulu donner un sens à sa fuite ? Comme s'il n'y avait pas tant d'autres raisons pour l'inciter à partir. Savait-elle déjà, trois ans plus tôt, que cette pellicule inachevée allait un jour lui permettre de tout confier ? A-t-on le droit de machiner ainsi ses propres pièces à conviction, de planifier sa propre accusation ?

Est-ce pour cette raison qu'elle sourit si tristement sur la seizième photographie ? Il ne sait plus pourquoi il s'efforce tant de regarder, une à une, ces photographies, comme si elles devaient à tout prix l'accompagner, pas à pas, comme une image ébauchée de ce qu'il se devait de découvrir. Il lui en veut bien plus tout à coup d'avoir peut-être tout prévu que de l'avoir simplement trompé. Il se sent davantage trahi par l'aveu consciemment différé que par les gestes réels qui ont eu lieu entre Raphaëlle et le photographe-imaginaire : ces images cachées qui lui resteront à jamais interdites. Car elle est là, la seule véritable histoire : deux poignets attachés peut-être, derrière le dos ou les bras exagérément tendus au-dessus de la tête; d'autres encore qu'il lui est même défendu d'imaginer.

Car cette seizième photographie, sur laquelle Raphaëlle sourit si tristement, comme toutes les autres, qu'est-ce qu'elle lui apprend qui ne lui était de tout temps destiné ? Il croyait surprendre quelque chose et n'en était, à chaque image, que piégé un peu plus dans une histoire qu'on lui avait écrite et où il jouait, à son insu, le plus important des rôles silencieux. La tristesse pourtant n'est pas feinte sur cette seizième photographie.

Il y a dans ce sourire, au coin de l'œil, de la paupière et de la lèvre, le souvenir du pire, le souvenir de l'irréparable. Il y a dans ce sourire le souvenir de l'enfant-mort.

✦

Patrice le regarde d'un air amusé. Inquiet presque.

— Je me trompe ou tu ne comptes même plus ?

— Excuse-moi, qu'est-ce que tu dis ?

— Tes pas. J'ai l'impression que tu ne les comptes même plus en marchant.

— Ça devrait plutôt te rassurer, non ?

— Eh bien justement, je ne sais pas trop. Vois-tu, je me demande vraiment par quelle autre manie tu as bien pu remplacer ça.

— Tu sais très bien que ce n'était pas une manie, ni un tic ni une obsession...

— Bon bon, excuse-moi. Prise deux : par quel autre *rituel, exorcisme, cérémonie ?* Ça va comme ça ?

— Tout compte fait, je pense que j'aimerais encore mieux *présage* ou bien, tiens : *oracle.*

— Excellent, excellent... et alors ?

— Inutile, je pense que je n'ai plus grand-chose à prévoir maintenant. Je crois que quelqu'un d'autre s'est déjà chargé de tout.

— Tiens, qui donc ?

— Voyons, ça me semble assez évident, une spécialiste de la bande-annonce ! La seule vraie spécialiste de la bande-annonce !

CHAPITRE 3

Bien que datée du mardi trente septembre, la dernière lettre lui parvient aussi le trente, dernier mardi du mois. Il ne peut cette fois que sourire, surtout quand il y lit le premier mot *Aujourd'hui*. Il sait déjà qu'il s'agit là du dernier signe, discret, de l'ultime mensonge de même que de l'aveu définitif.

Aujourd'hui, Rome me semblerait une excellente idée. Venise était devenue invivable, vraiment, ces derniers jours. D'ailleurs, Venise ressemblait beaucoup à Florence. Tu sais à quel point je déteste cette ville ? Eh bien même la Matriciana d'où je t'écrivais récemment, feuilletant distraitement un livre de photographies sur Florence, me faisait étrangement penser à la bibliothèque de la Villa I Tatti à Florence où j'aurais pu, non moins distraitement, feuilleter un livre de textes et de photographies à propos de Venise. Et je sais, sans les voir justement, que tu ne les aurais pas aimées, ces photographies. Tu n'as jamais rien compris aux images, sauf à l'envers ou dans la pénombre. Tu t'attarderais peut-être davantage aux mots, aux adjectifs surtout qui – le crois-tu toujours ? – « corrigent le monde si leur nombre est exact ». Neuf, disons neuf. Tu choisirais neuf adjectifs à propos de Venise. Tu les alignerais. Tu les répéterais. Tu les imaginerais luisants et parfaitement adéquats pour corriger le monde. Mais voilà, je ne te laisse pas le temps des adjectifs, plus de temps pour la nuance.

C'est sans doute la raison pour laquelle Rome me conviendra tout à fait. Je t'embrasse exactement. R.

Plus que neuf jours maintenant. Terrasse du Rosati, le jeudi neuf octobre. Plus que neuf jours, et cinq photographies. Les nombres s'ajustent d'eux-mêmes, il n'y a plus à compter, il n'y a plus à vérifier. Il s'agit moins de certitudes que d'une certaine forme de fatigue, celle des deuils et celle des longs voyages.

Il punaise donc cette dernière lettre au mur de gauche. Elle termine la troisième rangée, parfaitement alignée malgré les feuillets de dimensions différentes : la dernière pièce posée, celle qui convient, contre toute attente, celle qui s'installe d'elle-même et qui manque le plus souvent, égarée, retournée sous un meuble ou se confondant avec les motifs du tapis, du bois clair, cette pièce qui à la fois nous réjouit et nous attriste, comme toujours quand le sens advient et qu'on ne l'attendait plus.

✦

— Et le film dans tout ça? C'est très intéressant ton projet, mais qu'est-ce que tu fais du film?

— Tu t'inquiètes pour rien. Le tournage n'est même pas commencé. La bande-annonce, c'est après, Patrice : *après* le film, tu te souviens de ça, non? D'ailleurs j'ai déjà une très bonne idée de la forme que ça va prendre. Tu vas voir, tu seras étonné, très nouveau comme concept, vraiment.

— Bien, bien. Mais explique-moi quand même : un roman ! Tu veux écrire un roman ? Je n'en reviens pas ! Tu n'en lis presque jamais, de romans ! Et d'abord, depuis quand au juste est-ce que tu penses à écrire un roman ? Sans blague, un roman... non mais qu'est-ce qui te prend ?

— Depuis toujours, Patrice ! Oui, supposons que je te dise : *Depuis toujours, Patrice !* Est-ce que ça te conviendrait comme réponse ? Ou alors est-ce que tu préférerais : *Depuis hier, Patrice, je ne sais pas trop pourquoi, mais depuis hier, je ne peux plus vivre sans ce projet de roman !* C'est mieux comme ça ?

— Je savais bien qu'il allait se passer quelque chose. J'en étais sûr ! Vraiment, depuis que tu ne comptes plus, tu n'es plus tout à fait le même ; Jean-Pierre aussi l'a remarqué.

— Ah bon ! Parce que même Jean-Pierre se met à remarquer des choses maintenant ? Décidément, ce n'est plus un groupe d'amis mais une association de voyants !

— Tu pourrais au moins commencer à l'écrire ici, ce fameux roman. Tu n'en as pas encore écrit trois lignes ! C'est quoi, au juste, cette urgence de partir pour l'Italie ?

— Des repérages.

— Des repérages ? Tiens donc !

— Bien oui, des repérages. Exactement comme au cinéma. Attends, je vais t'expliquer...

— Laisse tomber, veux-tu. Je pense que je connais très bien le nom ainsi que le prénom de tes *repérages.*

Non, tu vois, ce qui m'intrigue bien davantage, c'est pourquoi tu sens à ce point le besoin de me mentir et, surtout, le besoin de si mal me mentir.

Il sait bien qu'il a choisi là le plus invraisemblable des alibis. Il déteste à peu près autant les romans que la photographie. Il trouve qu'ils en racontent toujours trop, ou alors pas assez, qu'ils sont inutilement ingénieux ou bien bêtement simplistes.

— Tu te trompes, je t'assure. D'ailleurs, regarde : j'ai même déjà acheté le cahier dans lequel je vais écrire mon roman.

— Formidable ! j'imagine que, si ça me plaît, je pourrais même en faire un film, non ? Marie serait chargée du scénario et Béatrice ferait un malheur dans le rôle principal ! Qu'est-ce que t'en dis ? Tu veux aussi faire la bande-annonce, tant qu'à y être ?

— T'as tort de te moquer, Patrice. Tu verras bien. Tiens, regarde, j'en ai même écrit la première phrase.

Il lui tend un long cahier de papier quadrillé, à couverture bleue et de marque Mémo. Patrice l'ouvre, un peu brusquement. Sur la première page, à quelques lignes du haut, à quelques centimètres de la marge de gauche, il lit : *Nous mentons tous; toujours, nous mentons tous.*

— Alors, ça te plaît ?

✦

Raphaëlle a disparu. La sculpture de la dix-septième photographie – un marbre décapité et manchot sur le sol d'une boutique d'antiquaire – et la niche vide, en trompe-l'œil, de la dix-huitième le laissent immobile devant le mur de droite de sa petite salle de travail. L'histoire va-t-elle ainsi se terminer sur la tristesse du sourire de la seizième photographie, sur Raphaëlle, elle-même transformée en mensonge par la distance et par le temps ?

Il ne sait plus attendre. Il doit sortir afin d'éviter de regarder les quelques photographies qui sont toujours dans cette enveloppe que son rabat autocollant n'arrive même plus à tenir fermée. Si Raphaëlle a disparu des photographies, peut-être la ville lui en retournera-t-elle au moins le souvenir exact, celui-là d'avant le photographe-imaginaire, d'avant la fuite, celui-là du bonheur dont elle disait souvent qu'il était comme *le côté frais de l'oreiller*, celui-là qui précéderait même l'avant-première blessure, celle de l'enfant-mort, et sans nom.

Mais étrangement, c'est l'image de Béatrice que les rues de la ville lui redonnent. Il ne saurait dire si c'est à cause des odeurs ou de la lumière, de l'air doux ou bien du trajet emprunté, croyant qu'il n'y a que le hasard qui porte ses pas. Peu importe, c'est Béatrice qui accompagne chacune de ces enjambées qu'il ne compte pourtant plus. Aussi n'est-il pas vraiment étonné de se retrouver au pied du long et abrupt escalier qu'il monte avec lenteur, le pied lourd, cherchant, croirait-on, à repousser définitivement chaque marche derrière lui.

Elle ouvre avant même qu'il n'arrive à la porte, mais plus rien ne le surprend aujourd'hui, ni son sourire presque moqueur, non plus que cette main qu'elle lui glisse aussitôt entre les jambes. Les vêtements tombent un à un et font sentier jusqu'à la chambre où la pénombre ralentit leurs mouvements et rend les corps indistincts, morcelés. Il ne sait plus vraiment d'ailleurs si ce sein qu'il suce à vouloir, dirait-on, l'avaler et ce sexe où se perdent deux, trois, quatre doigts, presque la main entière, appartiennent toujours au même corps. Trop de bouches tout à coup, trop de membres, comme si quelques inconnus, profitant de l'obscurité grandissante, s'étaient silencieusement joints à eux. Il n'est plus sûr que ce pénis qu'elle touche est bien le sien ; et cet anus, où il plonge la langue, n'est-il pas plus charnu que celui de Béatrice ? Tout le lit n'est plus que gaîté et désarroi où tout cela bouge résolument. Il a déjà éjaculé, ne sait plus où ni quand, lorsqu'elle le prend dans sa bouche et le force à lui éclater dans la gorge. Puis il roule sur le côté, têtes, sexes, bras et jambes retrouvent tout à coup la place qui leur convient et les souffles ralentissent peu à peu, celui de Béatrice toujours rauque de sperme.

Étrangement, ils n'ont pas échangé une seule parole depuis qu'il est arrivé. Aussi sursaute-t-il lorsque la voix de Béatrice, bien que plus douce maintenant, casse l'obscurité :

— Alors, tu pars quand ?

✦

Peut-être, après tout, l'écrira-t-il ce roman. Il s'agirait, enfin au moins là, de retrouver la certitude, une ou deux certitudes dans ce désordre grandissant de leur amour. Il n'y raconterait pourtant ni leur vie, ni leurs drames, ni leurs joies, non plus qu'il n'y révélerait quoi que ce soit à propos de Marie, de Béatrice, de Jean-Pierre, de Patrice, du père-comptable, du photographe-imaginaire ou de l'enfant-mort ; plutôt une œuvre de pure fiction, mais qui n'en serait pas moins aussi bien aveu que pardon. Peut-être, vraiment, devrait-il l'écrire, ce roman, ce qui serait sa façon à lui de rendre l'ombre à la lumière. Il sourit en imaginant déjà les feuillets détachables, le coffret recouvert de tissu bleu et, pourquoi pas, les illustrations, mais il s'esclaffe en s'en murmurant le titre.

Non, tout cela n'aurait absolument rien à voir avec la sincérité, il n'a plus vraiment le temps pour la sincérité. N'a-t-il pas toujours prétendu que cela donnait les plus mauvais récits ? Aussi n'a-t-il pas jugé bon de dire à Béatrice : *Désolé, mais c'est elle que j'aime.* Il l'a quittée, l'embrassant sur *ses trois petites joues*, se contentant de dire *mardi* en réponse à la question qu'elle lui a posée il y a pourtant plus d'une heure.

✦

La dix-neuvième photographie ne montre qu'un petit plateau déposé sur le coin d'un lit défait, devant une large fenêtre dont le rideau de mousseline blanche tamise une lumière blanche et très matinale. Sur le plateau d'aluminium, les reliefs d'un petit déjeuner : deux tasses, deux soucoupes, deux verres, deux assiettes et beaucoup d'ustensiles. Pourquoi y reconnaît-il tout aussi facilement ? Il pourrait en nommer la ville, décrire le quartier et donner le nom de l'hôtel. L'angle de la lumière, pourtant diffuse, lui révèle presque à coup sûr l'étage et la vue, les tuiles blanches et carrées du plancher lui suggèrent jusqu'au numéro de la chambre.

Il l'épingle sur le mur de droite, avant-dernière photographie de la cinquième rangée. Elle l'y blesse davantage, cette clarté pourtant anonyme, ainsi précédée de la Vénus décapitée et du trompe-l'œil de la niche vide. Pas de corps sur cette dix-neuvième photographie, aussi ne se les imagine-t-il que plus nus encore, comme cette chaleur lumineuse que le corps, dit-on, laisse durant quelques instants à l'endroit qu'il vient tout juste de quitter. Ainsi devine-t-il presque la main de Raphaëlle, l'index élégamment glissé dans l'anse de la tasse de droite qu'elle redépose sans bruit sur l'aluminium du petit plateau, dans cette chambre d'un hôtel romain. Car plus il se cache, plus le corps crie.

Il quitte précipitamment la pièce, y abandonnant, désemparé, son propre fantôme lumineux, devant la dix-neuvième photographie. Marie, qu'il n'a bien sûr pas entendue entrer, est assise au salon, une bière à la main, une grande enveloppe brune sur les genoux.

— C'est la bière ou l'enveloppe qui te met dans cet état ?

— Non, rien, c'est simplement que je ne m'attendais pas vraiment à te voir là.

— Parce que tu t'es peut-être déjà attendu à me voir là ?

— C'est pas ça, tiens, disons simplement que j'avais l'esprit ailleurs, ça va comme ça ?

— Oui, je me doute même où : à peu près à vingt-cinq kilomètres de la mer Tyrrhénienne et à deux heures de l'Adriatique. Est-ce que tu savais que cette ville se trouve exactement à la même latitude que New York ? C'est aussi là que t'avais la tête chez Patrice, juste au nord du quarante-deuxième degré ?

— Chez Patrice ?

— Oui, chez Patrice. T'aurais quand même pu faire semblant de m'écouter : il n'est pas si mauvais, mon scénario.

— On m'a même dit qu'il était excellent, ton scénario. La fin surtout. Qu'est-ce que tu comptes faire avec toutes les autres versions ?

— Des cadres, des laminages, une murale, une performance, un opéra, un show multimédia. Je ne sais pas trop encore. T'en fais pas pour moi, tu sais bien que je suis la reine de la récupération. Tiens, je t'en ai apporté une copie.

— Une copie ?

— Du vrai scénario, imbécile. *Les Métamorphoses*, ça te rappelle encore quelque chose ?

— Oui, bien sûr, le scénario, mais pourquoi ?

— Pour la route ! C'est quand même assez loin, la mer Tyrrhénienne !

✦

Il pourrait tout leur expliquer, peut-être même les réunir une dernière fois et essayer, très simplement, de tout raconter. Que des mots simples et des phrases courtes. Sans aucun effet de style, ni aucun sous-entendu. Dire lentement les choses, même un peu candidement, s'il le faut. Éviter les métaphores et même l'humour afin que rien ne vienne empêcher le sens. Mais ils se sont déjà dit tant de choses au cours de toutes ces années, trop de choses peut-être au cours de toutes ces années, trop de mots ; qui sait s'ils ne se sont pas tout dit ? Depuis l'adolescence, *croix de fer, croix de bois*, les canifs mal aiguisés, la paume qu'il fallait même pincer pour qu'y perle l'essentielle petite goutte de sang du serment, les longues et anéantissantes soirées du *jeu de la vérité* ; puis, à peine adultes, mais toujours si implacablement enfants, encore cette fierté imbécile de tout se dire, de se blesser au nom d'une absolue sincérité, aussi existentielle qu'invivable. Oui, ils se sont dit beaucoup de choses, le pire et le meilleur, ils ont sacrifié à ce nouveau dieu d'autres plaisirs qu'ils jugeaient immoraux et décadents : la pudeur, le secret, et même le mensonge.

Aussi, cette fois, se tait-il, moins pour dissimuler ou mentir que pour ne plus avoir, enfin, à partager. Raphaëlle n'a-t-elle pas réussi, à sa façon, au cours des derniers mois, à réinventer le jeu ? N'a-t-elle pas tout avoué en se réservant pourtant les règles de la confidence, en situant l'enjeu entre une vérité irrespirable et une supercherie salutaire ? Là, peu à peu, s'est installée une nouvelle fidélité qui n'est plus celle de la confession coupable et résignée, non plus que celle du beau mensonge qui, par sa magnificence même, excuserait magiquement toute trahison.

Raphaëlle n'a-t-elle pas réussi, à sa façon, au cours des derniers mois, à leur reconstruire, à tous deux, une nouvelle loyauté ?

✦

La vingtième photographie est celle d'un cimetière. Elle sait à quel point le désespère la confusion qui règne dans tous les cimetières. Aucune façon, jamais, de s'y retrouver. Chaque fois qu'il leur est arrivé de s'y promener, il lui a expliqué à quel point il apprécierait une organisation chronologique ou bien, plus simplement encore, alphabétique, ne serait-ce qu'afin de pouvoir mieux circuler dans toute cette mort.

Dans ce cimetière italien, ce sont les regards des morts qui accompagnent les promeneurs. Mais cela lui suffirait-il à ne pas perdre son chemin ? À ces trois ou quatre visages qu'il aperçoit distinctement sur la vingtième photographie, le temps ne paraît-il pas doublement assassin ? Car quand, sur leur pierre tombale, les traits s'estompent, les yeux s'évanouissent et le front, le cou confondent enfin leurs veines avec celles du marbre, il devient évident que, bien que désormais supposément immortels, c'est tout de même une deuxième fois qu'il leur faudra mourir. Pire même : plus jeunes encore à la seconde occasion, s'il faut en croire ces visages si juvéniles que les survivants leur avaient choisis. Comme si la mort, après coup, toujours insatisfaite, travaillait à rebours.

✦

Jean-Pierre semble plus calme aujourd'hui, les yeux plus clairs et le nez moins encombré. Et puis il mange avec appétit, même les légumes.

— On commence jeudi à répéter quelques dialogues. Beaucoup, beaucoup de dialogues. J'ai peur que ce soit un peu bavard tout ça.

— Quand même, Jean-Pierre, c'est un film, pas un roman. Et le cinéma parlant, c'est une fameuse invention, tu sais. Tu vas voir, ça va devenir très populaire avec les années.

— Tu ne me croiras peut-être pas, mais tu vas me manquer, surtout ton humour débile-light.

— Vous allez commencer le tournage par quelle scène ?

— Par des extérieurs. Beaucoup, beaucoup d'extérieurs aussi, bavard et très luxueux. Patrice veut ouvrir sur un long plan-séquence d'une douzaine de minutes. Je pense qu'il a renié Bergman : il se prend pour Robert Altman maintenant !

— C'est quand même pas mal, Altman. Et ça va raconter quoi, au juste, cette séquence ?

— Je n'ai pas trop bien compris. Il va y avoir un personnage, assis à la table d'une terrasse si je me souviens bien. Il regarde les passants, puis la caméra se substitue à son regard et glisse d'un passant à l'autre. Certains se parlent, d'autres se saluent, simplement. On est supposé comprendre, ne me demande pas trop comment, que ce sont tous des intimes du gars qui est assis à sa table, mais personne ne le remarque, comme s'il était invisible tiens, transparent, comme s'il n'était que celui qui regarde, rien d'autre. Tu vois ? Tout à fait du Patrice, quoi. Et ça va durer comme ça une douzaine de minutes, des idées pour vider la salle, tu ne trouves pas ?

— Moi, je trouve ça plutôt bien comme idée. Et qui est-ce qui va jouer ce rôle-là ?

— Tiens, c'est étrange, je ne pense pas que Patrice en ait parlé. Mais tu sais, tout ça, c'est encore un peu imprécis, il reste plein de choses à décider.

— Oui, bien sûr, mais c'est toujours comme ça au cinéma, non ?

✦

La coïncidence ne l'étonne même pas. Un homme est assis à une petite table. Aucun doute, il est assis à la terrasse d'un café, même si l'image est si floue que l'on n'y distingue assez nettement que l'homme, assis à une petite table. De plus, il y est montré de dos, et de loin. L'effet de brouillage pourrait être causé par la présence d'une vitre, embuée ou sale, entre le photographe et son sujet. Malgré tout, la position du corps, de la tête surtout, étrangement penchée vers l'avant, et du bras, l'angle de l'épaule et du coude, sont très révélatrices : assis à une petite table, cet homme écrit. On ne voit ni la plume ni la feuille, le cahier ou la carte, mais cet homme écrit.

Il choisit quatre punaises à tête rouge. Cette vingt et unième photographie, d'un homme, de dos, qui écrit, commence la sixième rangée.

✦

Il connaît déjà les trois dernières photographies. Ce sont, se surprend-il à penser, *les siennes.* Il n'est pas moins étonné, les examinant attentivement, de les trouver réussies. Surtout celle de la salle de bain, les jeux d'ombre et de lumière, l'angle de la prise, la netteté des détails : les gouttelettes d'eau sur le rideau, le savon encore moussant au fond de la baignoire, la buée sur le petit miroir ovale et la ceinture du vieux peignoir qui pend de la tringle et dont on distingue même les petites boucles bleues et blanches que l'usure et le temps en ont relâchées.

Si Raphaëlle recevait cette photographie – à Rome, le neuf... –, arriverait-elle à en imaginer l'histoire, à reconstituer la scène ? Y verrait-elle deux poignets ligotés au-dessus de la tête et une jambe appuyée sur le bord de la baignoire afin de mieux ouvrir le corps ? Il est bien vrai, se dit-il, qu'il y a des photographies qui ne font qu'ajouter du corps au corps, qui ne réussissent, à la fin, qu'à compliquer l'univers.

Il sourit en regardant les deux autres, à peu près identiques, si ce n'est que, sur la seconde, Marie est encore plus laide et Jean-Pierre, un peu plus désemparé. Qu'est-ce qu'en penserait le photographe-imaginaire ? Les sujets lui paraîtraient-ils volontairement décentrés ? Et cette fraîche tache de gras sur le devant de la chemise de Jean-Pierre, est-ce que ça ne fait pas trop *effet de réel*, trop fabriqué ?

Il retourne les photographies contre la table où elles sont alignées. Il pourrait simplement les ajouter à la sixième rangée, sur le mur de droite, où elles cadreraient parfaitement. Pourtant, il préfère écrire au dos de chacune d'elles, en haut, à gauche, *un*, *deux* et *trois*, puis, sur chacune encore, une légende qu'il appelle plutôt, pour lui-même, un *titre* : *L'amour est un très ancien projet*, *Il faut croire les dormeurs* et *La marche de l'aveugle sans son chien*.

Il glisse chacune d'elles dans une jolie enveloppe et pense même à confondre les adresses de Béatrice, Marie et Jean-Pierre. Mais il n'y a plus de temps pour le jeu. Il n'ajoute pas non plus le petit mot qu'il avait d'abord pensé envoyer à chacun. Il comprend enfin que son malheur ne se dit pas, parce que son malheur n'a pas de nom, et que consentir à le nommer, ce ne serait, encore et toujours, que mentir.

Il préfère donc, une fois de plus, se répéter, pour lui seul : *je ne suis pas malheureux*. Il préfère qu'on ne le comprenne pas plutôt que d'ajouter au mensonge et d'additionner la douleur.

ÉPILOGUE

Rome n'est pas toujours aussi douce en octobre. Rome est une ville imprévisible dont j'aime l'air gras et assourdissant. Étonnamment, j'ai réussi à obtenir la même chambre que lors de notre dernier séjour, Albergho Locarno, Via Della Penna, joliment meurtrie entre le fleuve et la Piazza del Popolo, tout près du Ponte Margherita. Ce matin, huit octobre, je laisse ma valise à la réception de l'hôtel – la chambre, bien sûr, n'est pas encore, à cette heure, disponible – et je sors, pour marcher. Marcher dans Rome, qui n'est pas toujours aussi douce en octobre.

Je rejoins le fleuve et en longe les rives dont le nom change à chaque pont qui gracieusement l'enjambe, redescends ainsi jusqu'à l'Isola Tiberina, empruntant la longue courbe du Tibre qui passe là tout près de Saint-Pierre. Puis, au hasard, m'aventure dans la ville.

Je sais pourtant que, même dans la confusion des ruelles et des impasses, j'arriverai à coup sûr d'abord au Gesù, puis place du Panthéon où je trouverai un cinéma ouvert dès onze heures et projetant, jusqu'à la nuit, des vieux films du répertoire italien.

Tout au long du trajet je suis tenté de compter, et pourtant je ne compte pas. Je ne me souviens pas d'avoir jamais compté à Rome; à Florence, puis à

Sienne et même à Milan, dans la gare surtout, mais jamais à Rome, comme si la cadence, la mesure n'y pouvaient être qu'exactes. Au cours des années, Rome s'est faite à mon pas. Je crois que Rome s'est aussi habituée à mon regard et jusqu'à mon souffle. Aussi ne suis-je pas trop étonné lorsque, arrivé face au cinéma Rialto, je lis, derrière la vitre sale de la petite vitrine près du guichet : « Oggi : *Notte Oscura*». Je n'en connais ni le réalisateur ni les acteurs. Peut-être même me suis-je bêtement imaginé y lire *Notte Oscura.* Je souris à la jeune caissière, puis tourne à droite, Via Seminario. Je ne suis plus qu'à quelques pas de la Piazza Colonna, et je me rappelle parfaitement bien où y manger les meilleures pâtes aux *porcini.*

✦

Comme toujours, le décalage horaire n'a sur moi aucune prise. Je dors bien et je dors tard, malgré la lumière qui inonde la chambre par cette large fenêtre dont je n'ai pas voulu tirer le rideau. Je sais, à ma façon, que ce matin-là recommence le monde. Je sais qu'elle se souviendra que ce matin-là, précisément, le neuf octobre, l'enfant-mort aurait eu dix ans. Et je sais qu'il est maintenant venu, pour nous deux, le temps, malgré cela, de vieillir.

Le café Rosati n'est qu'à quelques pas du Locarno. Je m'attarde donc un peu dans cette chambre qui ne cesse de me murmurer, dans une langue inconnue, des paroles où se mêlent la tendresse et la plus immense déception ; j'y redemande même du café et une brioche qu'on m'apporte sur un petit plateau d'aluminium qui ressemble à tous les petits plateaux d'aluminium et pourtant... ainsi qu'un journal dont je n'arrive à comprendre que les titres et les bas de vignettes.

Tout à coup je pense au scénario de Marie, dans la grande enveloppe brune, mais j'en crains encore trop le dénouement.

Alors je choisis de sortir et je me dirige lentement vers la Piazza del Popolo dont je sais qu'elle sera encore déserte et à ce point silencieuse qu'on croira presque entendre le bruit du vent dans le feuillage des marronniers du jardin Borghese, si loin, juste en face pourtant de la terrasse du Rosati.

Les serveurs, non moins nonchalants qu'aux heures de folle affluence, circulent déjà entre les petites tables rondes, comme entre autant de monocles géants qu'ils ne cesseront, de toute la journée, d'essuyer et d'éclaircir comme s'ils devaient effrontément défier l'accablant soleil romain. À cette heure, ils y disposent surtout les chaises, échangeant quelques banalités avec les rares passants. Ils s'étonnent même de voir cet homme s'installer – il n'est pas encore midi ! – à la table la plus centrale de la terrasse, puis y déposer une longue tablette de papier quadrillé sur laquelle je me croise les mains, le regard droit devant.

Je me rappelle très bien cette scène que nous y avons tournée, Patrice et moi, quelques années auparavant, et qui lui a sans doute donné l'idée pour le début du prochain film. Patrice aime tant se citer lui-même. Le comédien prenait place à peu près à cette table. J'imagine même les caméras, l'une derrière la vitrine, à l'intérieur du café, l'autre à ma gauche, sur l'épaule même de Patrice qui donne ses dernières instructions et crie *on tourne!*

J'ouvre donc lentement la longue tablette Mémo, j'y regarde fixement la seule phrase, à quelques lignes du haut, à quelques centimètres de la marge de gauche. Et je l'entends presque en voix off : *Peut-être, après tout, l'écrira-t-il ce roman. Il s'agirait, enfin au moins là, de retrouver la certitude, une ou deux certitudes dans ce désordre grandissant de leur amour.*

Je sursaute lorsque, élevant la voix, le jeune serveur, pour la troisième fois peut-être, me demande ce que je désire boire. Je ne me rappelle plus comment dire *pamplemousse* en italien. Je commande donc un campari-soda-jus d'orange, avec des olives. Peu à peu, la Piazza s'agite; on croirait des figurants tant les mouvements sont harmonieux et les gestes coordonnés, jusqu'à cette jeune femme qui s'assoit à cette table derrière moi, juste à droite, et qui me sourit comme si elle venait de réussir à lire l'unique phrase dans la tablette restée ouverte, jusqu'à ce photographe, de l'autre côté de la fontaine; je pourrais même croire que c'est encore moi qu'il tente de cadrer, alors qu'il ne cherche sans doute qu'un souvenir de l'illustre enseigne du Rosati. Je m'attends presque à voir Patrice du coin de l'œil, ou Béatrice dans l'une de ces voitures qui cherchent désespérément à se garer. Tout me semble à ce point familier que je n'arrive plus à tout voir qu'en termes de décor, d'éclairage, d'accessoires ; même cette brume, au loin, qui très lentement se lève sur les jardins de la Villa Borghese, pourrait bien, tout compte fait, être produite par une lourde et luxueuse machinerie, les arbres n'y seraient que de plâtre et les façades de carton épais.

Le neuf octobre, peu avant midi, assis bien droit à une petite table de la terrasse du café Rosati, à Rome, je suis peut-être tout simplement devenu *premier rôle* dans un film italien.

✦

À ma droite, il y a la Via del Corso qui, toute droite, depuis le monument Victor-Emmanuel, vient mourir, si étroite, Piazza del Popolo, entre ces deux petites églises appuyées contre tout ce ciel et dont je n'ai étrangement jamais su le nom. C'est de là que vient la lumière, un soleil encore matinal, un soleil pâle d'automne engouffré dans le long corridor du Corso.

La silhouette, immobile, y apparaît donc d'abord à contre-jour, nettement découpée dans le halo lumineux, mais je la reconnaîtrais de bien plus loin encore et même, il m'arrive toujours de le croire, dans la plus totale obscurité.

Puis elle s'avance, étonnée, dirait-on, que cet homme la regarde, étonnée d'y deviner le désir de tous les hommes. Raphaëlle s'avance vers cet homme dont elle craint encore un peu qu'il lui parle une langue qu'elle ne comprendrait pas.

Raphaëlle marche et il est vrai que je pourrais bien être le seul homme du monde assis à la terrasse du Rosati, car il est vrai que cet homme l'aime.

D'ailleurs, je l'aime tant que, même à Rome, au cœur même de Rome, tandis qu'elle approche, silencieusement, je commence à compter ses pas.